TITAN +

Collection dirigée par
Marie-Josée Lacharité

De la même auteure chez Québec Amérique

Jeunesse

SÉRIE CHARLOTTE

La Fabuleuse Entraîneuse, coll. Bilbo, 2007
L'Étonnante Concierge, coll. Bilbo, 2005.
Une drôle de ministre, coll. Bilbo, 2001.
Une bien curieuse factrice, coll. Bilbo, 1999.
La Mystérieuse Bibliothécaire, coll. Bilbo, 1997.
La Nouvelle Maîtresse, coll. Bilbo, 1994.

La Nouvelle Maîtresse, Livre-Disque, 2007.

SÉRIE ALEXIS

Alexa Gougougaga, coll. Bilbo, 2005.
Léon Maigrichon, coll. Bilbo, 2000.
Roméo Lebeau, coll. Bilbo, 1999.
Toto la brute, coll. Bilbo, 1998.
Valentine Picotée, coll. Bilbo, 1998.
Marie la chipie, coll. Bilbo, 1997.

SÉRIE MARIE-LUNE

Un hiver de tourmente, coll. Titan, 1998.
Ils dansent dans la tempête, coll. Titan, 1994.
Les grands sapins ne meurent pas, coll. Titan, 1993.

La Grande Quête de Jacob Jobin, Tome 1 – L'Élu,
    coll. Tous Continents, 2008.
Ta voix dans la nuit, coll. Titan, 2001.
Maïna, Tome II – Au pays de Natak, coll. Titan+, 1997.
Maïna, Tome I – L'Appel des loups, coll. Titan+, 1997.

Adulte

Au bonheur de lire, Comment donner le goût de lire à son
    enfant de 0 à 8 ans, coll. Dossiers et Documents, 2009.
Pour rallumer les étoiles, coll. Tous Continents, 2006.
Le Pari, coll. Tous Continents, 1999.
Marie-Tempête, coll. Tous Continents, 1997.
Maïna, coll. Tous Continents, 1997.
La Bibliothèque des enfants, Des trésors pour les 0 à 9 ans,
    coll. Explorations, 1995.
Du Petit Poucet au Dernier des raisins, coll. Explorations, 1994.

Pour rallumer les étoiles

Partie 1

Catalogage avant publication de Bibliothèque et Archives nationales du Québec et Bibliothèque et Archives Canada

Demers, Dominique
Pour rallumer les étoiles
(Titan + ; 84-85)
Suite de: Marie-Tempête.
Publ. à l'origine dans la coll.: Tous continents. c2006.
Pour les jeunes.
ISBN 978-2-7644-0680-9 (v. 1)
ISBN 978-2-7644-0681-6 (v. 2)
I. Titre. II. Collection.
PS8557.E468P697 2009 jC843'.54 C2008-942464-6
PS9557.E468P697 2009

Conseil des Arts Canada Council
du Canada for the Arts

Nous reconnaissons l'aide financière du gouvernement du Canada par l'entremise du Programme d'aide au développement de l'industrie de l'édition (PADIÉ) pour nos activités d'édition.

Gouvernement du Québec – Programme de crédit d'impôt pour l'édition de livres – Gestion SODEC.

Les Éditions Québec Amérique bénéficient du programme de subvention globale du Conseil des Arts du Canada. Elles tiennent également à remercier la SODEC pour son appui financier.

Québec Amérique
329, rue de la Commune Ouest, 3e étage
Montréal (Québec) H2Y 2E1
Téléphone : 514 499-3000, télécopieur : 514 499-3010

Dépôt légal : 1er trimestre 2009
Bibliothèque nationale du Québec
Bibliothèque nationale du Canada

Révision linguistique : Diane Martin
Mise en pages : Karine Raymond
Conception graphique : Célia Provencher-Galarneau
Source de la photo en couverture : Getty Images

© 2009 Éditions Québec Amérique inc.
www.quebec-amerique.com

Imprimé au Canada

Pour rallumer les étoiles

Partie 1

DOMINIQUE DEMERS

QUÉBEC AMÉRIQUE jeunesse

À ma sœur Marielle

Chapitre 1

Marie-Lune versa l'eau bouillonnante sur les feuilles de menthe poivrée, replaça le couvercle sur la théière, puis s'arrêta un moment pour contempler le lac. Sa surface était de velours sombre, délicatement chatoyante dans la luminosité de cette fin de jour d'été. Parfaitement immobile, sans aucune plissure, le lac s'était assoupi doucement, étranger aux derniers soubresauts du ciel qui n'en finissait plus de s'éteindre. Ce spectacle du crépuscule, pourtant si extraordinairement serein, n'arrivait pas à calmer Marie-Lune. Elle était seule avec cette agitation secrète qui la troublait depuis l'aube, seule avec la vilaine bête qui lui mordillait les entrailles.

Jean s'était endormi peu après que le soleil eut disparu derrière les falaises. Il ronflait tranquillement sur la véranda, son grand corps calé dans les vieux coussins d'un fauteuil en osier qu'il affectionnait particulièrement, la tête basculée vers l'arrière, comme s'il était occupé à compter les étoiles, crevé mais content. Sa journée avait été bien remplie. Deux accouchements difficiles. Un poulain aux grands yeux effarouchés et un veau chétif arrivé avant terme, mais terriblement décidé à survivre. Deux petites bêtes vagissantes qu'il avait aidées à naître avant de les rendre à leur mère.

Du revers de la main, Marie-Lune tenta de chasser la scène qui fleurissait en elle. Comme si les gestes avaient ce pouvoir! L'image s'imposait déjà. Un veau frissonnant collé au flanc de sa mère et cherchant furieusement une mamelle. Marie-Lune s'arracha à ces pensées, prit la théière, une tasse, et s'empressa de rejoindre Jean. Il arrivait que sa présence suffise pour chasser les fantômes. Mais pas ce soir, Marie-Lune le devinait. Elle installa la théière sur une table d'appoint, se pencha vers son compagnon, caressa sa chevelure sombre, effleura doucement sa poitrine, se redressa…

Une plainte aiguë creva le silence. Marie-Lune resta immobile. Ce cri de bête aux abois avait jailli de son ventre. Elle attendit, tous ses sens en alerte, comme si le bruit venait d'ailleurs. Jean remua un peu avant de replonger dans un sommeil profond. Alors, seulement, Marie-Lune s'effondra dans un fauteuil, à bout de forces et de courage. Depuis son réveil, elle avait tout mis en œuvre pour combattre la douleur, celle qui tous les ans, à la même date, infailliblement, l'étreignait. Elle s'était affairée comme jamais, simulant l'entrain, cherchant à s'étourdir dans l'activité, osant même donner à cette journée un air de fête – elle avait cuisiné un couscous royal et des brioches à la framboise – dans l'espoir d'oublier le triste anniversaire.

Tous les 1er juillet, c'était pareil. Une vague enflait quelque part en elle. La masse d'eau gonflait dangereusement, nourrie par des courants mystérieux, gagnant d'heure en heure de la puissance et de l'ampleur avant de déferler soudain, raclant les souvenirs, réveillant la douleur qui, année après année, n'en finissait plus de croître pour atteindre des proportions inhumaines. Une souffrance qui tordait les boyaux, coupait le souffle, émiettait le cœur. Marie-Lune l'avait attendue. Elle s'était préparée pour la bataille, prête à encaisser mais décidée à tenir bon.

Ne pas s'effondrer. *Les grands sapins ne meurent pas. Ils restent toujours droits. Ils rient des tempêtes et se moquent du vent…* Les mots venaient du roman qu'elle avait écrit. Elle-même n'en exigeait pas tant. Après toutes ces années, elle savait bien qu'elle ploierait sous le poids du chagrin comme à chaque 1er juillet. Elle avait appris à anticiper la violence de la charge et souhaitait seulement résister à l'arrachement, tenir le coup pendant la tempête. Après, ça irait. La douleur se dissiperait peu à peu, lentement mais sûrement, ressurgissant parfois violemment mais jamais avec autant d'acuité qu'en ce jour d'anniversaire.

Marie-Lune ferma les yeux et laissa le silence l'envelopper. L'appel d'un huard vint déchirer la nuit. C'était une plainte étrange, un peu inquiétante, tout à la fois douloureuse et chantante. Un cri sans pudeur, magnifique d'insistance, une fabuleuse exhortation à laquelle il semblait impossible de ne pas répondre. Marie-Lune resta un long moment sans bouger. Lorsqu'elle se releva enfin, longtemps après que le silence fut réinstallé, elle sentit qu'elle n'était plus totalement la même. Un peu comme si elle venait de rendre les armes. Et pourtant, elle n'abdiquait pas, elle ne reculait pas, elle ne cédait rien. Elle admettait, tout simplement, que sa douleur ne pouvait plus être tue. Pendant seize ans, bravement, silencieusement, elle avait supporté les assauts, toujours plus puissants. Aujourd'hui, elle admettait qu'elle était épuisée, que le combat était inégal, que sa souffrance était trop grande. À défaut de l'exorciser, elle avait besoin de l'exprimer.

Alors, mue par cette certitude nouvelle, elle se dirigea vers la petite pièce trouée d'une vaste fenêtre ouverte sur le lac, là où elle travaillait en silence de longues heures tous les jours. Elle alluma une lampe, prit un paquet de feuilles de papier bleu, son préféré, celui qu'elle réservait aux rares lettres manuscrites. Puis elle choisit son meilleur stylo, celui en bois de rose que Jean lui avait offert à sa première séance de signature. Elle s'installa à sa table de travail avec des gestes trahissant une longue habitude et écrivit soigneusement la date : *le 1er juillet 2004*.

Un sanglot éclata dans sa gorge. Elle ferma les yeux, inspira profondément et écrivit encore, en dessinant bien chaque lettre : *Cher moustique*. Elle ajouta lentement une virgule et c'est alors que les mots se mirent à débouler, explosant sur la page, tout à la fois désolés et furieux d'avoir été si longtemps réprimés.

Cher moustique,

Je ne connais ni ton nom, ni le son de ta voix, ni la couleur de tes yeux ou celle de tes cheveux. Je ne sais pas où tu habites. Mais je sais que tu as seize ans aujourd'hui. Parce qu'il y a seize ans, tu es sorti d'entre mes cuisses.

Crois-tu parfois que je t'ai oublié ? T'imagines-tu que je n'ai plus mal de m'être arrachée à toi ?

Mille fois, depuis ce jour où j'ai quitté l'hôpital le ventre vide et les bras tout autant, j'ai voulu communiquer avec Claire. Ta mère. Pour avoir des nouvelles de toi, pour savoir à quoi tu ressembles et quelle sorte d'être humain tu es devenu. Pour ne plus être condamnée à épier les enfants jouant dans la rue ou les écoliers dans leur cour de récréation, en me demandant si ce petit garçon, là, devant moi, ce n'est pas toi.

Celui que j'ai couvé pendant huit mois. Claire t'a-t-elle raconté ta naissance ? Tu étais comme ce petit veau que Jean (c'est le nom de mon compagnon) a aidé à naître aujourd'hui. Chétif mais terriblement entêté. Et bien décidé à venir au monde avant le temps. Pourquoi étais-tu si pressé de quitter mon ventre ? Avais-tu hâte de voir si je te résisterais ? si j'arriverais à t'abandonner ?

Rassure-toi : je n'y suis jamais parvenue. Tu es toujours resté remarquablement présent. Dans mon cœur, dans mon corps, dans mes pensées. Au quotidien. Et à chacun de tes anniversaires, la douleur s'est ravivée, toujours plus criante. Chaque fois, je me sentais prête à tout en échange de nouvelles de toi. Et pourtant, pendant des années, j'ai résisté. Je ne me sentais pas le droit de troubler ta paix et celle de tes parents. Ces parents que j'avais moi-même choisis. De tous les parents en démarche d'adoption, ils étaient les meilleurs. Je te jure. J'avais moi-même étudié leur dossier après avoir obtenu une permission spéciale. Parce que j'hésitais tellement à t'abandonner. Avec Claire et

François, il me semblait impossible que tu ne sois pas heureux. Si je t'ai résisté si longtemps, c'est par amour. Crois-moi.

Mais pas uniquement… J'avais peur aussi. Je ne me sentais pas la force de survivre à un autre arrachement. Comment pourrais-je accepter de rester dans l'ombre après avoir vu ta photo, avoir appris ton nom, avoir su quand tu avais fait tes premiers pas, dit tes premiers mots, ri pour la première fois? Loin de moi. C'était trop terrible à envisager. Il me semblait que la souffrance aurait été trop immense après.

J'ai résisté pendant longtemps et puis un jour… Non. Attends… Laisse-moi te raconter depuis le début. Veux-tu? Ça me paraît essentiel, pour que tu comprennes un peu et pour que tu saches qui je suis.

J'ai accouché de toi alors que je n'avais pas encore seize ans. Ton père s'appelle Antoine. Je l'ai aimé aussi fort qu'on peut aimer. Il ne t'a malheureusement jamais vu. Nos cœurs étaient bien accordés mais pas nos vies. On s'est quittés avant ta naissance. À cette époque, j'étais en deuil de ma mère, ta grand-mère. Elle venait tout juste de mourir, grugée par un cancer, avant même d'avoir pu me dire au revoir.

Je ne t'ai vraiment pas abandonné aux premiers venus. Dans le dossier que la travailleuse sociale m'avait prêté – la chemise de carton était verte, je me souviens –, Claire avait écrit : « Il y a des gens qui cherchent la gloire. D'autres, la richesse. Ce que nous voulons le plus au monde, c'est un enfant. »

Ces mots m'avaient conquise. Mais pour être sûre, j'avais exigé de rencontrer Claire et François. La travailleuse sociale avait accepté. L'entrevue avait eu lieu dans une petite salle impersonnelle. J'étais en miettes ce jour-là et Claire m'a consolée. J'ai découvert qu'elle avait des bras de mère, doux comme des ailes d'oiseau.

Après t'avoir confié à Claire et à François, j'ai voulu mourir. Mais avec de l'aide et du temps, j'ai réussi à refaire surface. Jean était là. Il m'attendait. Je l'aimais déjà. Je l'aime toujours d'ailleurs. Et il est présent, là, tout près de moi, encore aujourd'hui.

Tu avais huit ans et demi, je me souviens d'avoir fait le calcul, lorsqu'une promesse de bébé, un minuscule embryon, est venu s'installer au creux de mon ventre. J'étais... vraiment contente. Et il me semblait que je méritais ce bonheur. Trois mois plus tard, un petit paquet de chair informe et sans vie s'est détaché de moi. On appelle ça communément une fausse couche. Les médecins utilisent l'expression « avortement spontané ». Moi, je l'ai vécu comme une punition.

Tu t'étais installé au pire moment de ma vie, sans demander ma permission. Et tu t'étais accroché. Furieusement. Magnifiquement. L'autre avait été planifié, attendu, espéré. Et il n'a pas daigné s'agripper. Comme si mon ventre ne constituait pas un terreau d'assez bonne qualité. Comme si ce nouveau bébé n'avait pas envie d'y pousser. Comme si je n'étais pas une mère à la hauteur.

À l'époque, j'écrivais déjà. Des poèmes, des nouvelles. Je n'avais encore jamais soumis mes textes à un éditeur, mais je travaillais pour plusieurs d'entre eux à titre de réviseure. Écrire me rendait heureuse. Tout simplement. Sans doute qu'au plus profond de moi je rêvais de devenir écrivaine, mais je n'osais pas me l'avouer. Cela me semblait bien trop présomptueux. Et bien trop impossible.

Un matin, je me suis levée très tôt. Le lac était encore éclairé par la lune, mais des rubans d'aube s'effilochaient délicatement au sommet du mont Éléphant. Je me souviens très bien de ce moment. J'ai ouvert l'ordinateur et je me suis mise à écrire comme on se jette à la mer. Avec beaucoup d'abandon et très peu d'espoir.

J'ai raconté ma vie. Les mots coulaient. C'était bon. Au bout d'un moment, je me suis arrêtée. J'ai relu les premières lignes et j'ai eu une attaque de pudeur. Alors, pour continuer, je me suis déguisée. C'est facile. Il suffit de changer de nom. J'ai choisi « Marie-Soleil ». C'est ainsi que j'ai raconté mon histoire, en changeant parfois des lieux, des scènes ou des gens pour ne gêner personne. Et en taisant aussi quelques vérités trop douloureuses ou peut-être honteuses.

J'ai écrit pendant des jours, sans faire de plan, sans réfléchir, parce que le scénario était déjà tout tracé. Et à mesure que j'écrivais, je respirais mieux. J'ai pleuré en racontant la mort de maman et mes derniers moments avec toi. Mais c'était quand même bon. Je renouais avec Fernande comme avec toi. J'apprivoisais l'horreur et je redécouvrais l'enchantement. Ce jour, par exemple, où Antoine m'avait enlacée sous le grand tilleul dans la cour de la polyvalente. Cet autre où tu avais remué en moi pour la première fois. Ce jour béni où Jean nous a sauvé la vie. Et ce matin où tu as ouvert les yeux et où j'ai eu l'impression que tu me reconnaissais, moi...

Après la dernière phrase, le dernier point, quand j'ai eu fini de me raconter, quand j'ai eu lu, relu, récrit, relu et récrit encore mon manuscrit, Jean l'a lu à son tour et il a décidé que ce texte serait publié. C'est lui qui a tout manigancé avec l'aide de Léandre, mon père, ton grand-père… Ils ont soumis le manuscrit à des éditeurs et l'un d'eux a accepté de publier « ce premier roman autobiographique d'une jeune écrivaine prometteuse ». C'est ce qui est écrit en quatrième de couverture.

Mon roman a eu beaucoup de succès. Je ne m'y attendais pas parce que je l'avais écrit sans trop d'effort. J'étais porteuse d'une histoire triste. Je l'ai racontée simplement en laissant jaillir l'émotion. Les lecteurs ont été touchés. C'est tout. Ça ne fait pas de moi une grande écrivaine.

Mon manuscrit venait d'être publié lorsque tu as fêté tes douze ans. C'est à partir de ce jour que mon inquiétude s'est mise à croître. Je m'étais déjà fait du souci pour toi avant, mais jamais autant. J'étais accablée par un pressentiment. Quelque chose me disait que tu n'allais pas bien. Peut-être avais-je simplement besoin d'une raison un peu plus noble, moins strictement égoïste, pour assouvir ma faim de toi. N'empêche. J'avais terriblement besoin d'être rassurée. De savoir que tu étais vivant. Et heureux.

J'ai décidé de franchir la frontière : j'ai tenté de joindre tes parents. Ils m'avaient laissé leurs coordonnées. Je leur ai écrit, mais la lettre m'est revenue. J'ai appris que vous aviez déménagé. Je t'avais imaginé grandissant dans l'érablière que Claire et François m'avaient décrite. Et tu n'y étais pas. Ça m'a affolée. Alors je t'ai cherché. Et cherché. Et cherché encore. Sans succès. Finalement, j'ai demandé l'aide des services sociaux. Josée Lalonde, la travailleuse sociale qui m'avait mise en contact avec tes parents avant l'accouchement, était encore là, heureusement. Et elle se souvenait très bien de moi. Elle m'a promis de faire tout ce qu'elle pouvait pour acheminer ma lettre à tes parents.

C'est ainsi qu'a débuté une longue attente. Au fil des mois, je me suis mise à imaginer le pire. Un drame était-il survenu ? Un accident ? Un décès ? Entre-temps, Josée, mon alliée, avait changé d'emploi. Je n'avais personne à relancer.

Un an, presque jour pour jour, après avoir entamé ces démarches, j'ai reçu une enveloppe des services sociaux. À l'intérieur, il y avait une lettre de ta mère. Une poignée de mots seulement. « Notre fils grandit bien dans une famille normale. Permettez-moi de vous demander de ne pas chercher à en savoir plus. Pour son bien à lui. Je suis persuadée que vous comprendrez. »

Je n'ai pas compris. Je ne comprends toujours pas d'ailleurs. Je devinais que ma requête pouvait être dérangeante, mais je n'arrivais pas à accepter ce refus et je ne pouvais concevoir d'être relé-guée à ce statut d'étrangère. J'avais confié à Claire et à François un bébé extraordinaire. Pendant douze ans, ils t'avaient eu juste à eux. Je n'en récla-mais qu'une toute petite part. Et j'ac-ceptais, tout en sachant combien cela me coûterait, de ne pas tenter de te ren-contrer. J'avais simplement besoin de savoir à qui j'avais donné naissance. Je voulais remplacer le mot moustique par un prénom. Et parvenir enfin à me construire une image de toi.

Ma colère – non ! – ma rage a duré des semaines. C'est l'épuisement qui a eu raison d'elle. C'est fou comme ça gruge les tripes, la rage, comme ça dévore toute notre énergie jusqu'aux dernières miettes. Peu à peu, je me suis calmée. Jean m'a encore beaucoup aidée. Même s'il avait mal. Et pas seulement pour moi. Il t'aimait lui aussi. Il aurait souhaité en savoir davantage sur le petit être à qui il avait sauvé la vie. Deux fois! Pendant la grossesse, alors que j'avais failli te perdre dans un accident, et à l'accouchement, lorsque tu avais décidé de naître avant le temps. Jean t'a tenu dans ses bras quand tu étais bébé. Il me l'a avoué il y a quelques années. Il avait presque soudoyé une des infirmières de la maternité pour gagner cette faveur.

Après cette lettre de Claire, Jean et moi avons tenté de concevoir un autre enfant. Sans succès. Mois après mois, mon ventre restait vide. Nous avons consulté un bataillon de spécialistes, subi une foule de tests en clinique de fertilité. Résultat? Rien. C'est fou, hein? Ils n'ont rien trouvé qui cloche. La machine de reproduction est parfaitement fonctionnelle. Ce n'est pas si rare, semble-t-il. Le corps a ses mystères que la médecine ne sait percer…

Un gynécologue a suggéré qu'il s'agissait peut-être d'une « incompatibilité mystérieuse entre les partenaires ». Je l'aurais mordu ! J'aimais Jean. Profondément. Et il m'aimait tout autant. Comment diable pouvions-nous être incompatibles alors même que nos organismes étaient parfaitement constitués, nos corps parfaitement consentants et nos âmes en si parfaite communion ? C'était trop injuste.

Aujourd'hui encore, je n'arrive pas à faire le deuil de toi, ni celui d'une autre maternité. Je ne veux pas te troubler et encore moins te faire du mal. Je souhaiterais simplement combler un peu ce vide effroyable, ce trou atroce, qui me creuse les entrailles depuis ton départ. Peut-être devrai-je me résigner à vivre avec cette faille secrète. Je suis, comme toi, de la race des survivants. Alors, sûrement que ça ira…

Non… C'est faux. Je suis plus qu'une simple survivante. Même si je l'oublie. J'ai Jean. Un lac. Des oiseaux. Des montagnes. Du ciel. Des mots pour occuper mes journées. J'atteins, le plus souvent, un certain équilibre, une sorte de bonheur un peu fragile. Mais quelque part au fond de moi sommeille encore un besoin désespéré d'enchantement. Quelque part au fond de moi, une petite voix me rappelle parfois qu'on n'est pas né simplement pour mettre un pas devant l'autre mais pour courir, chanter, voler. J'y ai toujours cru. Je ne parviendrai peut-être jamais à y renoncer tout à fait.

C'est ce que je te souhaite, mon moustique. Du fond du cœur. Une part d'enchantement, avec tout le bonheur du monde en plus.

Ton autre mère,
Marie-Lune

Chapitre 2

— As-tu vraiment encore faim, ma chérie? questionna gentiment Claire alors que Christine se versait un troisième bol de céréales.

Gabriel ne put réprimer un sourire. Sa sœur n'avait rien d'une ogresse, mais sur la boîte de Spécial K aux fraises séchées, on annonçait que quelque part parmi les flocons – probablement tout au fond du sac hermétique – était enfouie une baguette magique comme celle d'Éliza la petite fée, l'héroïne d'un dessin animé qui enflammait présentement l'imaginaire des enfants de huit ans, particulièrement ceux de sexe féminin. Pour ajouter à l'opération charme, Éliza apparaissait sur la boîte de céréales en

brandissant sa fameuse baguette qui promettait de s'illuminer dans le noir.

Christine releva la tête, croisa le regard
de son grand frère et esquissa un petit sourire
coupable. Puis elle remarqua le visage de sa
mère, indéfectiblement complice, et un éclair
d'espièglerie illumina ses yeux bridés.

— Veux-tu des céréales, Gabi ? demanda
Christine, enjôleuse.

Gabriel songea qu'il n'avait peut-être
pas encore fait le plein de calories pour traverser la matinée. Il tendit un bras vers la
boîte de céréales, exauçant ainsi le vœu secret de sa sœur qui ne pouvait se résigner à
quitter la maison en laissant la baguette
d'Éliza au fond de la boîte de Spécial K. Mais
au dernier moment, Gabriel se ravisa.

— Non. Je n'en veux pas, déclara-t-il
brusquement, lui-même étonné de sa réaction.

Il se leva en enfournant rapidement les
restes d'une tranche de pain grillé dégouli-
nant de miel et partit, laissant sa mère et sa
sœur déconcertées.

◆

L'autobus scolaire ralentit à la hauteur de
l'adolescent, même s'il avait dépassé l'arrêt.

D'un geste, Gabriel signifia au chauffeur qu'il ne souhaitait pas monter.

— C'est ça : marche, Veilleux ! Ça déniaise, cria Alex Lemay, un grand efflanqué toujours prêt à intervenir pour se faire remarquer alors que l'autobus abandonnait Gabriel derrière.

Tout le long des quarante-cinq minutes de marche rapide que durait le trajet jusqu'à l'école, Gabriel s'efforça d'évacuer le sentiment d'exaspération qui l'habitait. Il était de plus en plus souvent victime de ces attaques soudaines où la contrariété se mêlait à une colère sourde et diffuse. Il revit la mine déconfite de Christine. Pourquoi avait-il été si tranchant avec elle ? Il pénétra dans la cour de la polyvalente des Sources au moment où la cloche sonnait, ce qui lui valut un commentaire sarcastique de Brutus, le préfet de discipline. L'ex-quart arrière vedette des Taureaux, l'équipe de football de la polyvalente, — une photo de l'individu était d'ailleurs encore accrochée dans le hall d'entrée de l'école —, s'était transformé en trentenaire bedonnant qui réussissait à en imposer aux élèves de premier cycle avec ses allures de dur et son ton de gardien de prison mais n'impressionnait plus guère les finissants. Gabriel avait toujours eu du mal à respirer le même air que cet être fat et obtus.

— Veillé tard, Veilleux ? Organise-toi comme tu veux, le jeune, mais moi je niaise pas avec les retards. T'es averti. Compris ?

Gabriel repoussa nonchalamment une mèche blonde qui lui chatouillait le front et continua d'avancer, comme s'il n'avait rien entendu, vers la porte principale dont le seuil était constellé de mégots de cigarettes. Il était bien à l'abri dans sa bulle, hors d'atteinte, presque sourd et un peu aveugle. C'est ce qui exaspérait tant son entourage – Claire, Christine, François, ses profs, son entraîneur, ses rares amis aussi, des copains surtout –, cet univers de silence, ce monde parallèle, dans lequel il parvenait à trouver refuge. Plusieurs s'en plaignaient ouvertement. Tant pis.

Pendant qu'il farfouillait dans sa case pour repérer les cahiers, manuels et autres ouvrages de ses cours du matin, une brusque poussée le projeta vers l'avant et sa tête heurta la porte entrouverte de sa case. Une giclée de sang fusa jusqu'à ses tempes. Gabriel referma les poings, serra les mâchoires, inspira profondément et compta jusqu'à dix. Lentement.

L'assaut n'était pas personnalisé. Il en était parfaitement conscient. Les jeux de coude, les coups d'épaule, les crocs-en-jambe, les bousculades sournoises, tout cela faisait partie d'un code tacite, une démonstration quasi obligatoire de pouvoir, dont il n'était ni partisan ni dupe. « Répliquer, c'est s'abaisser », lui enseignait Claire depuis la tendre enfance. Objectif : zéro violence. Au fond de lui, Gabriel adhérait à ce beau principe ; au fond de lui, il y croyait. Mais ce fond était de plus en plus loin. Gabriel avait de plus en plus envie de riposter. Ces petits assauts presque quotidiens attisaient en lui une rage sourde qui parfois n'avait plus rien à voir avec l'offense. Une rage intime, diffuse, qui lui collait aux tripes. Et la violence de ce sentiment qu'il réprimait de plus en plus difficilement le troublait beaucoup.

En route vers le cours de maths, une cascade de rires le fit émerger de sa bulle. C'était Emmanuelle Bisson, la princesse des Sources, suivie de son cortège de fidèles amis-admirateurs. Rédactrice en chef du journal étudiant, vedette de la ligue d'impro, championne de basket. Un corps menu, délicieusement parfait, des yeux très perçants, une tignasse de forêt d'automne en feu. Beaucoup de prestance, une gentillesse trop exquise, une énergie presque glorieuse. L'ensemble ressemblait à une approximation un peu dégoûtante de la perfection féminine adolescente. Tout dans cette fille exaspérait Gabriel.

◆

L'avant-midi s'étira mollement. À l'heure du lunch, Zachary Renaud et Maxime Dupré s'étaient installés devant Gabriel à la cafétéria. Ce dernier venait de déballer un lunch que Claire avait insisté pour lui préparer : végépâté dans un pain intégral, crudités, fromage, noix et tarte aux pommes et à l'érable maison.

— La moitié de mon club contre ton morceau de tarte, avait tenté Zachary.

— Pas question. Pour mériter le dessert, il faut se taper le sandwich aux graines de moineau, avait protesté Gabriel, catégorique.

Maxime semblait s'amuser de l'échange, mais il n'aurait troqué sa grosse frite sauce et sa barre Oh Henry pour rien au monde.

— O.K. Je vais me taper ton lunch de tapette, décida Zac. Depuis le temps que tu me manges ces affaires-là au nez… Je suis curieux !

Il échangea un regard avec Max avant d'ajouter :

— En espérant que je ne me mettrai pas à parler avec une voix de fille après avoir bouffé ça.

La boutade arracha un semblant de sourire à Gabriel. Il manquait totalement de confiance en lui dans une foule de domaines, mais avec son mètre quatre-vingts et ses quatre-vingt-huit kilos, il n'avait rien d'une fillette, ça, il en était sûr.

Une fois le repas expédié, ils avaient flâné dehors jusqu'à la cloche. La conversation avait tourné autour du père de Zac, le docteur Renaud, spécialiste en orthodontie. Zac soupçonnait son père – « le vieux christ ! » – de tromper sa mère avec son hygiéniste dentaire, « une poupoune avec des seins refaits à rabais ».

Pendant que Maxime rappelait à Zachary que sa mère était majeure et vaccinée et que rien ne l'empêchait de tromper son mari elle aussi, Gabriel se souvint d'une expression qu'il tenait de sa grand-mère paternelle : couler comme de l'eau sur le dos d'un canard. La formule semblait avoir été inventée pour lui. Il se sentait parfaitement imperméable. La conversation entre ses deux compagnons lui faisait l'effet d'une lointaine rumeur qui ne l'atteignait pas.

— Dis-le si on te dérange, lui lança soudain Zachary, et Gabriel eut un peu honte d'être un si piètre ami.

✦

Le dernier cours de l'après-midi était bio. Pierre Joffe, l'enseignant, avait une bouille de père Noël. Des joues luisantes, de petits yeux rieurs surmontés de longs sourcils touffus, une barbe presque blanche, une tignasse assortie et une panse bien rebondie qui s'agitait drôlement lorsqu'il éclatait d'un de ses rares rires explosifs qui semblaient sourdre du fond de son ventre. Malgré cette apparence joviale, Joffe était un enseignant plutôt sévère et très exigeant. Rien à voir avec sa mine bon enfant! Quelques jours plus tôt, il avait encore sermonné Gabriel:

— Un étudiant doué qui se laisse aller. Ça fait mal à voir!

Gabriel avait quand même du respect pour cet homme rigoureux, passionné par sa matière mais peu populaire auprès des élèves. Joffe n'était pas soucieux de plaire, il ne faisait aucun effort pour avoir l'air *cool*, ses propos n'étaient jamais racoleurs et, en prime, il n'était pas un très bon orateur. Ce jour-là, comme souvent, il semblait réciter une litanie. Le ton était monocorde, sans inflexions particulières, le débit lent et constant, sans surprise ni pause, parfaitement somnifère. Gabriel n'écoutait que très distraitement. Quelques mots, pourtant, captèrent soudain son attention, l'incitant à fournir l'effort nécessaire pour extirper un peu de sens du discours de l'enseignant. Les mêmes mots refirent surface : canard, couvée, appartenance, identité… Gabriel se redressa lentement sur sa chaise.

— Le phénomène d'imprégnation a été étudié par le biologiste Carl Lorenz, racontait Joffe. Lorenz a décrit comment des oisillons sont fortement affectés, à la naissance, par le premier être vivant qu'ils rencontrent. Dans le cas d'une espèce comme le huard, par exemple, le mâle et la femelle participant à la couvaison, l'oisillon est marqué – ou, si l'on veut, imprégné – par ses deux parents. Il les suit tout naturellement partout. Il sent qu'il leur appartient.

Un élève émit un rot sonore. Il y eut quelques gloussements. Tout à son exposé, Joffe ne s'en formalisa pas. Gabriel songea combien le ton uniforme du prof trahissait mal son enthousiasme pour sa matière. Tout était dans le regard, soudain plus perçant, plus pétillant, et dans le mouvement des bras, les gestes plus rapides et plus amples.

— Lorenz a démontré la puissance de cette forme particulière d'attachement en étudiant le cas d'oisillons abandonnés à la naissance par leurs parents biologiques, poursuivit Joffe. Ainsi privés de la vue de leur géniteur, les oisillons s'attachent au premier être vivant qu'ils rencontrent, quelle que soit l'espèce. Lorenz a établi que les vingt-neuf premières heures de vie sont cruciales. Un oisillon imprégné par un humain durant cette période le suivra partout comme s'il était de la même espèce, comme si c'était lui son géniteur.

Joffe tendit une photo à l'élève le plus près de lui en le priant de faire circuler l'image. La scène était pour le moins étonnante : un vieillard qui semblait se prendre pour une cane, suivi d'une traînée d'oisillons.

— Tu parles d'un vieux con ! lança Lemay en refilant rapidement l'image à son voisin, comme s'il y avait risque de contamination.

À l'instar de plusieurs profs, Joffe était un peu imprévisible. Une telle boutade pouvait passer inaperçue un jour et motiver une expulsion le lendemain. L'enseignant resta un long moment silencieux. Son regard, étrangement grave, parcourut lentement la salle avant de s'arrêter sur Lemay. De longues secondes s'étirèrent, si bien qu'un certain malaise s'installa dans la classe. Gabriel était en proie à une grande agitation intérieure. Ses mains étaient moites et son cœur battait bien trop vite et bien trop fort.

— Le con, c'est toi, Lemay, lâcha brusquement Joffe en articulant bien chaque mot. On ne te demande pas d'être un génie, mais ce serait bon que tu saches reconnaître ceux qui en sont.

L'attention de la classe était maximale. Joffe avait traité un élève de con ! Du jamais-vu. Quelque chose dans le ton de l'enseignant interdisait toute réplique. Lemay était figé. Et Joffe n'avait pas terminé. Il s'exprimait avec une fougue inhabituelle, comme si cette histoire d'imprégnation constituait un sujet d'ordre personnel.

— La découverte de Lorenz est fondamentale et pas seulement pour la biologie. En psychologie et en philosophie aussi. Elle alimente le vieux débat entre l'inné et l'acquis, entre l'héritage génétique dont nous sommes porteurs à la naissance et notre capacité d'apprendre des comportements, de changer, d'évoluer. Le phénomène d'imprégnation ne nous aide pas seulement à comprendre la vie des canards et des oies, il jette un précieux éclairage sur les comportements humains, l'attachement d'un bébé à sa mère, par exemple.

Gabriel avait l'impression que son cœur allait bondir hors de sa poitrine et que tous ses compagnons de classe pouvaient entendre le vacarme des pulsations à ses tempes. Un mot, un chiffre, lui martelait la cervelle. Vingt-neuf heures. Une journée et quelques poussières pour créer un attachement d'une puissance inouïe.

L'envolée de Joffe fut interrompue par la cloche. Une certaine pudeur incita plusieurs élèves à compter deux ou trois secondes avant de ramasser leurs affaires et de quitter bruyamment les lieux. Ils sentaient qu'il s'était passé quelque chose, même s'ils n'avaient pas très bien compris quoi. Quelques-uns restaient impressionnés par cette photo d'un vieil homme à l'air savant drôlement flanqué d'une flopée d'oies. D'autres avaient surtout été frappés par la véhémence soudaine de leur prof.

Gabriel Veilleux fut le dernier à se lever. Il aurait aimé trouver en lui le courage de parler à Joffe. Il pensait avoir deviné ce qui donnait tant d'ardeur au discours de l'enseignant. Joffe et lui étaient de la même espèce. Gabriel en était presque sûr.

— B'jour ! marmonna l'adolescent avant de quitter la classe.

En refermant la porte derrière lui, à la demande de Joffe, Gabriel Veilleux comprit que cette leçon de biologie allait modifier le cours de sa vie.

Chapitre 3

La lointaine clameur d'une volée d'outardes arracha Marie-Lune au manuscrit qu'elle lisait. Elle tendit le cou alors que le concert d'aboiements s'approchait et aperçut bientôt de longs rubans d'oiseaux zébrant le ciel. Par la baie vitrée qui occupait un mur complet de son bureau, les trois autres faisant office de bibliothèque, Marie-Lune continua d'observer le spectacle d'automne à grand déploiement auquel elle assistait depuis quelques semaines déjà. La magie des saisons ne l'atteignait plus comme avant. Pourtant, le mont Tremblant, le pic Johannsen et le mont Éléphant rivalisaient d'éclat pour éblouir les contemplateurs. Dans quelques jours, la forêt atteindrait son paroxysme de beauté. Puis, l'or, le cuivre et le carmin flamboieraient encore pendant quelques jours avant que les couleurs ne commencent à s'éteindre.

Marie-Lune inspira profondément et laissa ses pensées errer entre la berge et l'île, ce morceau de forêt échoué au milieu du lac Supérieur. L'automne demeurait sa saison préférée. Il lui rappelait encore son premier amour – l'odeur d'Antoine, son parfum de terre et de feuilles mouillées, la forêt de ses yeux, la ferveur de ses étreintes – sans évoquer la suite catastrophique, la rupture et l'horrible fin qui appartenaient à d'autres saisons.

L'été avait été chaud et lourd. Marie-Lune l'avait traversé avec l'impression d'être conviée à une fête où elle restait spectatrice, étrangère aux rires des enfants s'ébrouant dans l'eau comme aux exclamations des touristes arrêtés le temps d'une photo au bord du lac, en route vers le parc du mont Tremblant. Ces débordements joyeux lui révélaient trop cruellement sa propre morosité. L'arrivée de septembre, avec ses grandes plages de silence, en semaine surtout, lui avait permis de s'installer plus confortablement dans une routine sécurisante : lire un manuscrit, remplir les mangeoires des geais ou celles des mésanges et des sittelles, réviser un roman, préparer un sandwich, marcher un peu le long du chemin Tour du lac.

Les bons jours, elle poussait jusqu'à l'ancienne maison de Sylvie, son amie d'enfance, une véritable tombeuse qui s'était transformée en mère dévouée le jour où elle avait rencontré Thomas, son mari, qui était déjà père de deux garçons avant de la connaître. Une maison de carte postale avec une grande véranda de bois ouvragé donnant sur le lac. Après avoir accueilli la famille de Sylvie, puis un couple âgé, elle abritait maintenant une jeune famille avec des jumeaux, un garçon et une fille, deux puces de maternelle avec des sourires à faire fondre les pierres. Souvent, Marie-Lune rebroussait chemin plus tôt, à la hauteur de la maison bleue, celle de son enfance, achetée par un couple d'actuaires qui s'accrochait à leur investissement sans véritablement profiter des lieux. Ils y séjournaient au plus deux semaines l'été et quelques week-ends skiables l'hiver. Marie-Lune ne leur pardonnait pas d'avoir refusé de lui revendre cette maison trop pleine de souvenirs et elle avait encore beaucoup de mal à leur adresser de simples salutations polies lorsqu'elle les rencontrait au dépanneur en juillet.

Le plus souvent, elle ne croisait personne. De toute manière, les relations entre riverains étaient plus cordiales qu'intimes. Plusieurs avaient choisi de s'établir à deux heures de route de Montréal parce qu'ils avaient soif de silence et besoin d'établir une distance respectueuse entre leurs voisins et eux. La plupart étaient assez réservés, malgré des dehors chaleureux, mais éminemment serviables. Même celui qu'on surnommait « le colonel », un vieil homme autoritaire et intransigeant qui supportait mal que tous ne pensent pas comme lui. Cet anglophone né à l'Île-du-Prince-Édouard, un ancien quincaillier qui n'avait jamais servi dans l'armée, s'activait sans cesse pour toutes sortes de causes, depuis le référendum pour empêcher la construction d'un casino en passant par la lutte pour enrayer le myriophylle, une plante particulièrement envahissante qui proliférait dans le lac. Les vieux racontaient que le colonel n'avait jamais manqué une seule réunion du conseil de ville en trente ans. Et c'était sûrement vrai. À l'instar des autres riverains, le colonel était toujours prêt à donner un coup de main, mais il défendait jalousement son territoire, aussi bien ses deux acres de terrain dans une baie étroite que sa vie privée.

Marie-Lune avait parfois l'impression de vivre dans un roman, entourée de personnages qu'elle devinait sans véritablement les connaître, qu'elle croisait mais ne fréquentait pas et elle aimait se répéter que tout était bien ainsi. Sylvie s'était souvent moquée de sa «vie de vieillarde recluse» et Marie-Lune savait que ces railleries ne trahissaient pas seulement l'étonnement mais une réelle inquiétude. Au cours de leur dernière conversation téléphonique, Sylvie avait éclaté: «J'ai plus d'activités et d'excitations à Kangiqsujuaq dans la baie d'Ungava que tu en as au bord de ton lac à deux heures de Montréal. Tu vis comme si, au moindre contact avec le reste du monde, tu risquais l'infection mortelle! Comme si, au lieu de trente ans, tu en avais soixante-douze! Comme si tu n'étais pas la Marie-Tempête, la Marie-Tonnerre, la Marie-Ouragan que je connais, moi.»

Au retour de ces promenades, après un arrêt au dépanneur où elle achetait parfois un journal et où, invariablement, Louis-Georges, le propriétaire, lui résumait le dernier bulletin météorologique en même temps qu'il lui rendait sa monnaie, Marie-Lune retournait à ses manuscrits. Quelques heures plus tard, elle s'accordait une nouvelle pause, mélangeait un peu d'eau et de sucre à l'intention des oiseaux-mouches ou préparait un dessert pour le repas du soir, puis reprenait ses lectures jusqu'au retour de Jean.

Marie-Lune contempla encore un moment le ciel pâle, déserté par les oiseaux, avant de replonger dans le roman d'Élise Thouin. Elle parcourut encore une vingtaine de pages puis rangea le manuscrit dans la boîte marquée « rejet » où trois autres textes étaient déjà empilés. Vendredi, elle les renverrait aux auteurs accompagnés d'une lettre type approuvée par l'éditeur pour qui elle travaillait maintenant en exclusivité. À ce refus de publier trop poli et terriblement impersonnel, elle ajoutait souvent quelques lignes pour guider l'auteur vers un autre éditeur convenant mieux à ses écrits ou encore pour lui suggérer de travailler tel ou tel aspect de son écriture. À la jeune auteure du manuscrit qu'elle venait d'abandonner, elle expédierait la lettre dans sa formulation originale. L'écriture était fade sinon carrément maladroite, l'univers sans surprise, le propos anodin et l'histoire banale. Bien plus encore que la technique et les trucs du métier, il manquait à ce projet d'écriture la part de lumière sans laquelle une œuvre n'est qu'un amas de mots.

Une question agaçante s'imposa à Marie-Lune. Pourquoi diable consacrait-elle tant d'heures à lire des manuscrits souvent ennuyeux ? Et pourquoi travaillait-elle autant ? Carmen Blanchet, la directrice des éditions L'achillée mille-feuille, celle-là même, la seule, qui avait cru en son propre manuscrit alors même que Jean et Léandre l'avaient expédié à sept éditeurs, avait tenté de l'intéresser à la direction littéraire.

— D'autres que toi pourraient se taper la première lecture de manuscrits et même si tu as un œil de lynx pour la révision, je pourrais te trouver d'autres utilités, lui avait-elle encore répété un mois plus tôt.

Mais Marie-Lune préférait lire les manuscrits reçus et réviser les textes avant publication plutôt que jouer les marraines littéraires. Bien sûr, elle avait parfois envie de transgresser la frontière et d'émailler le manuscrit entre ses mains de suggestions pour couper, clarifier, modifier, attacher les fils perdus, resserrer une trame trop lâche. Mais quelque chose la retenait. Comme elle se retenait de courir. Elle optait pour la marche maintenant, au lieu de foncer à bride abattue comme jadis.

Un bruit suspect la libéra de ces réflexions. Elle se leva, un peu inquiète, sortit de la petite pièce où elle était enfermée depuis plusieurs heures déjà et découvrit Jean dans le vestibule, tout sourire. Il tenait un plat encore fumant déposé dans un carton.

— Livraison express, annonça-t-il. Vous aviez bien commandé un pâté au poulet de grain garni de petits légumes ?

Marie-Lune se hissa sur le bout des pieds pour l'embrasser.

— Un cadeau de ta mère ?

Jean acquiesça.

— Elle trouve que tu devrais te remplumer. Et je suis bien d'accord, déclara-t-il en tâtant la taille et les hanches de sa compagne avec l'air de dire qu'il avait bien peu à se mettre sous la main.

Marie-Lune décida d'ignorer le commentaire. Elle avait perdu un peu de poids au cours des derniers mois. Jean travaillait souvent tard, retenu à la clinique par toutes sortes de dossiers, et ces soirs-là, le plus souvent, elle se contentait de grignoter du fromage et des fruits.

— Qu'est-ce que tu fais au lac en plein milieu de la journée ? demanda Marie-Lune.

— Une visite au chenil du lac Carré… et l'envie de te retrouver, admit-il. Je te dérange en plein travail ?

Pour toute réponse, Marie-Lune enlaça son amoureux, appuya sa tête contre sa poitrine et resta ainsi blottie pendant un moment.

— J'ai faim ! déclara-t-elle bientôt.

— Tant mieux parce que j'ai aussi un dessert-surprise, mais seulement si tu finis ton assiette.

◆

Après le départ de Jean, Marie-Lune retourna dans son antre avec son « dessert-suprise » : un magnifique bouquet de chrysanthèmes rouge framboise. Jean avait dévoré la grosse part de gâteau moka que sa mère lui avait emballée, mais Marie-Lune n'avait pas la dent sucrée. Les gâteries fleuries la touchaient davantage. Au moment où elle s'installait à sa table de travail, un couple de huards, tout près, disparut, comme s'il eût été alerté par sa présence. Marie-Lune ouvrit une grande enveloppe matelassée, en tira un nouveau manuscrit et, comme chaque fois, souhaita secrètement que l'huître recèle une perle.

Pendant le lunch, entre le pâté et le thé, Jean avait à nouveau énoncé le vœu de la voir écrire.

— C'est un peu fou d'aider ton éditrice à trouver de nouveaux textes à publier alors que tu pourrais en écrire toi-même, non? avait-il suggéré avec des traces d'impatience dans la voix.

— Non, avait répondu Marie-Lune un peu sèchement parce que l'insistance de Jean l'agaçait.

Il n'avait rien ajouté, mais le poids de son regard avait troublé Marie-Lune et l'avait forcée à se défendre mieux.

— Je ne suis pas une écrivaine, avait-elle commencé en espérant que cette fois l'explication fournie suffirait à clore le sujet. J'ai écrit une seule histoire dans ma vie et c'était la mienne. Un écrivain, c'est quelqu'un qui crée un univers, juste avec des mots. Au cinéma, pour atteindre le même résultat, ils investissent des millions, ils réunissent une armée de créateurs et d'artisans et ils font appel à un tas de technologies hypercomplexes et ultra-sophistiquées. L'écrivain, lui, invente un monde avec pour seul support les vingt-six lettres de l'alphabet.

Marie-Lune s'arrêta pour reprendre son souffle. Jean l'écoutait attentivement, le sourire en coin, heureux d'avoir réussi à réveiller sa passion.

— J'admire profondément les vrais écrivains, poursuivit Marie-Lune. Même quand leurs textes sont bourrés de défauts, même quand leur œuvre n'est pas parfaitement réussie, j'admire ceux qui ont ce talent inouï, cette capacité fabuleuse d'inventer un monde. Et ce n'est pas mon cas. Comprends-tu ?

— Non. Je ne comprends pas. Mais c'est peut-être normal. À l'université, je n'ai pas étudié les œuvres de grands écrivains mais les organes et les systèmes internes des chats, des chiens, des chevaux et des rats. Et pourtant, je suis persuadé – m'entends-tu, Marie-Lune ? – absolument persuadé que tu pourrais, toi aussi, créer un univers sur papier, avait-il répondu d'un ton terriblement assuré en gardant son regard d'eau noire posé sur elle.

Marie-Lune balaya une mèche de cheveux auburn du revers de la main comme si ce geste eût pu chasser en même temps le souvenir de cette conversation. Elle entreprit de s'attaquer au prochain manuscrit et découvrit, sur la première page, un mot de l'auteur, écrit à la main, exhortant son premier lecteur à la plus grande sollicitude. « Promis », murmura Marie-Lune tout bas en tournant la page. Le texte sur la seconde page était imprimé. Une phrase seulement, citée en exergue et signée Guillaume Apollinaire : « Il est grand temps de rallumer les étoiles. »

Marie-Lune eut l'impression d'un direct en plein ventre. Des pages glissèrent sur le sol. Elle ferma les yeux. Cette petite phrase lumineuse, porteuse d'un espoir infini, lui ravageait les entrailles. Rien au monde ne lui semblait plus vrai. Rien au monde ne lui semblait plus juste. Rien au monde n'aurait pu mieux traduire le sentiment qui l'habitait et devant lequel elle se sentait si terriblement impuissante.

Chapitre 4

Heureusement, on était jeudi. Gabriel n'aurait pu supporter qu'on soit mercredi, parce que le mercredi, la salle d'haltérophilie était prêtée à un club de mise en forme, Les As, un nom que Lemay aurait sûrement jugé con. Un peu avec raison : il s'agissait d'une vingtaine d'adultes, des presque vieillards souvent, la cinquantaine avancée, préoccupés par le raffermissement de leurs chairs. Le mercredi était donc jour de relâche pour le Club d'haltérophilie des Basses-Laurentides.

En entrant dans le gymnase, Gabriel sentit que sa respiration devenait plus régulière. Il était bien dans cette salle surchauffée et mal ventilée qui empestait la sueur avec des relents de cuirette humide et d'acier. Gabriel se laissa tranquillement envelopper par la rumeur de la salle, le bruit des corps au travail, ce concert de gémissements, d'exclamations et de soupirs avec, en toile de fond, le murmure des discussions, jamais trop dérangeantes. L'ensemble était ponctué par de sourdes explosions : le fracas des barres lestées de poids retombant sur le sol.

L'arrivée de Gabriel fut saluée par quelques hochements de tête et une tape amicale de Guillaume Demers, l'entraîneur, ex-champion canadien, le premier à avoir réussi un arraché de cent cinquante kilos. Guillaume supervisait régulièrement une trentaine d'haltérophiles, dont deux médaillés des jeux du Commonwealth et trois espoirs olympiques, en prodiguant des conseils et en faisant claquer de petites bulles, une en moyenne toutes les vingt secondes, avec trois gommes Chiclets qu'il renouvelait d'heure en heure. L'an dernier, Jeffrey Scott, un des meilleurs leveurs au Canada, un athlète universitaire issu des Territoires du Nord-Ouest, boursier de l'Université de Toronto, avait déménagé ses pénates à l'Université McGill à Montréal et se tapait quarante-cinq minutes de route tous les soirs jusqu'à la polyvalente des Sources simplement pour profiter de l'encadrement de Demers. C'est Jeff qui, quelques semaines plus tôt, avait eu l'idée de cacher le paquet de Chiclets de celui qu'il appelait affectueusement « coach ». Demers avait rôdé comme un ours en cage pendant près d'une heure, visiblement en manque, jusqu'à ce que Scott épate tout le monde en faisant réapparaître le fameux paquet avec des airs de grand prestidigitateur. L'entraîneur, qui n'avait pourtant pas si mauvais caractère, avait clairement fait comprendre qu'il n'avait pas jugé l'incident drôle.

Gabriel avait appris l'existence du Club d'haltérophilie des Basses-Laurentides cinq mois plus tôt, par l'intermédiaire d'une pub dans le journal étudiant. À l'époque, il n'aurait même pas su expliquer la différence entre musculation et haltérophilie, une distinction fondamentale dans l'esprit de tout leveur de poids qui se respecte. Gabriel ne comprenait toujours pas ce qui l'avait attiré dans l'annonce. Il avait déjà pratiqué le handball, le racquetball, la natation, le judo et le karaté, sans jamais vraiment se reconnaître dans aucun de ces sports. Pourquoi soudain l'haltérophilie ?

Cinq mois plus tôt, un soir de mai, il était entré pour la première fois dans ce gymnase surchauffé. Dehors, il faisait encore jour et l'air délicieusement chaud sentait bon l'été pour la première fois de l'année. Des copains l'avaient invité à un barbecue arrosé de bière et agrémenté de filles. Au lieu de se joindre à eux, Gabriel était resté trois heures dans l'antre humide à forcer, à souffler, à ahaner et à s'arracher le cœur jusqu'à ce que ses jambes, son dos, son ventre, ses bras refusent de soulever une autre barre, quel qu'en fût le poids.

Ce premier soir, Guillaume Demers l'avait accueilli avec une nonchalance étudiée. L'entraîneur adorait jauger de nouveaux candidats, toujours excité par la perspective de débusquer un athlète en puissance parmi ces néophytes maladroits, mais par habitude aussi bien que par principe, il se refusait à manifester son enthousiasme. Après avoir enseigné quelques rudiments à Gabriel, insistant surtout sur la sécurité, Demers l'avait invité à lever une première barre. Trente kilos. L'adolescent s'était exécuté un peu timidement, mais dès ce premier essai, Guillaume avait reconnu une belle puissance musculaire. Il était resté attentif à Gabriel durant toute la durée de l'entraînement, continuant de faire des commentaires aux autres athlètes, mais en gardant toujours un œil sur le petit nouveau, bien décidé à ne rien perdre. Le talent s'était confirmé. Trente-cinq kilos, puis quarante. Et une technique vite assimilée, déjà étonnamment précise. Un « naturel ». Du bonheur pur ! Demers en avait du mal à dissimuler son excitation.

À la fin de l'été, Gabriel levait quatre-vingt-cinq kilos à l'épaulé-jeté et soixante-dix à l'arraché. Sébastien, un ex-champion canadien comme Guillaume, encore capable de pulvériser quelques records en compétition, l'avait surnommé Power Boy, une manière affectueuse de reconnaître publiquement qu'il y avait là de la graine de champion. Un peu étonné que Gabriel ne lui confie pas plus rapidement ses objectifs de compétition, Guillaume avait attendu la veille du début des classes pour lui proposer un plan d'entraînement sur mesure. Sa stratégie était claire, nette et précise. Il visait le championnat Louis Cyr à la mi-novembre. Les qualifications auraient lieu dans six semaines. Gabriel serait prêt. Demers lui avait concocté un programme d'entraînement personnalisé, exigeant mais réaliste, dont il était plutôt fier. Un savant dosage d'audace et de retenue afin de maximiser la progression en évitant les blessures et en ménageant juste assez de temps de repos pour que les muscles les plus sollicités récupèrent vite et bien.

Ce soir-là, le ton avait monté. Guillaume était soufflé. Il avait l'impression que l'adolescent se moquait de lui, qu'il le faisait carrément marcher. Gabriel Veilleux refusait de participer aux compétitions !

— Je ne suis pas venu ici pour gagner des médailles, avait plaidé l'adolescent d'une voix mal assurée, conscient de provoquer la colère de son entraîneur.

Depuis un moment déjà, il redoutait cet affrontement.

— Je veux juste… avait-il tenté en cherchant vainement les mots.

Que voulait-il au fond ? Raffermir ses chairs comme les membres du club des As ? Se sculpter une musculature impressionnante comme les vedettes au corps luisant dans les magazines ? Non !

— Je veux juste… lever des barres, avait-il laissé tomber.

— Tu me niaises ? avait craché Guillaume Demers d'une voix dure.

— Non, avait simplement répondu Gabriel sans trop savoir ce qu'il aurait pu ajouter.

Il se sentait piégé. Il avait vaguement anticipé ce moment, refusant d'admettre qu'il y avait malentendu. Il aurait tant voulu que rien ne change. Pas de pression. Pas d'obligation. Pas de compétition.

— L'annonce… au printemps… dans le journal de la poly. Ça parlait d'un club d'entraînement, pas d'un club de compétition, risqua Gabriel.

— O.K. Ben c'est vrai qu'on s'entraîne, répliqua sèchement Demers, mais c'est pour faire des compétitions. Compris ? Est-ce que ça fait plus ton bonheur ?

Gabriel aurait voulu expliquer à l'entraîneur qu'il n'avait pas envie de se mesurer à d'autres athlètes. Il n'avait pas envie d'entendre des huées, des sifflements ou des applaudissements. Il n'avait pas envie de se sentir davantage piégé. Se mesurer à lui-même lui suffisait amplement. Repousser ses propres limites. Jour après jour. Le fait de lever toujours plus haut lui donnait une impression de puissance. En quittant la salle d'entraînement, il se sentait mieux armé pour affronter la vie. Comme s'il était devenu plus grand, plus solide. Moins écrasé, moins oppressé.

Mais ça, il ne l'avait pas dit. En fait, il n'avait rien dit du tout. Il avait déjà compris que Guillaume Demers était à des années-lumière de lui. L'entraîneur avait continué à parler d'adrénaline et de dépassement, de médailles, de commandites, de stratégie et de bourses. Alors, Gabriel s'était résigné. Jamais il ne trouverait les mots pour faire comprendre à Demers que ce qu'il aimait le plus de ces longues heures d'entraînement, c'était de pouvoir abandonner son angoisse sur le petit banc à côté de la porte en entrant. Pendant qu'il levait des barres, il oubliait tout. L'étau qui compressait ses poumons se relâchait enfin. C'était ça le plus important. C'est pour cette raison qu'il continuait de s'arracher le cœur cinq fois par semaine.

Gabriel se retira au fond de la salle où il troqua son jean et son t-shirt de U2 contre un vieux survêtement et une camisole informe. Depuis cet affrontement à la fin d'août, Guillaume n'avait plus parlé de compétition et, au grand soulagement de

Gabriel, il ne lui avait pas interdit l'accès aux séances d'entraînement du club. L'adolescent attaqua son programme avec trois séries d'épaulés debout suivies d'autant de séries d'arrachés entrecoupées de pauses d'une minute et demie. Deux fois, Guillaume Demers lui cria : « Barre les coudes. » La troisième fois, il ajouta « câlice ». Puis, il abandonna l'adolescent à ses efforts. Gabriel poursuivit avec des flexions arrière et avant, des tirages et des pratiques de soulèvement avec arrêt de la barre à mi-hauteur. L'entraîneur-vedette de la Fédération québécoise d'haltérophilie n'émit plus de commentaires. Il n'allait quand même pas perdre son temps avec un jeune imbécile qui refusait de reconnaître sa chance alors même que tant d'autres athlètes auraient vendu leur âme au diable contre une simple portion de son talent.

Chapitre 5

Marie-Lune s'éveilla alors que le souvenir de son rêve s'effilochait déjà. Elle tenta d'abord en vain d'en rattraper les morceaux épars, puis des images refirent surface. Elle dansait avec Antoine, son premier amoureux, sous le tilleul où ils s'étaient si souvent donné rendez-vous. Le vent d'automne était doux et bon. Pelotonnée sous les couvertures, Marie-Lune se laissa envahir par cette houle de bonheur. Elle avait l'impression de revivre un instant béni.

Puis, le vent d'automne enfla, encore et encore. Marie-Lune dansait maintenant avec Jean au cœur d'une forêt hurlante. Ils valsaient dans la tempête, étrangers aux humeurs du vent, totalement abandonnés l'un à l'autre, invincibles et heureux. Des bourrasques de plus en plus puissantes les assaillaient et pourtant, ils continuaient de danser. Rien ne semblait pouvoir les arrêter. Et soudain, Marie-Lune découvrait qu'elle dansait avec un cadavre.

Celui de Fernande. Sa mère.

Marie-Lune chercha refuge auprès de Jean, mais les draps étaient tièdes et vides. Elle ouvrit les yeux, s'assit dans le lit et découvrit qu'il faisait encore nuit. Alors, elle fouilla ses souvenirs pour s'accrocher à une image de Fernande bien vivante.

Elle revit sa mère, coiffeuse au Salon Charmante à Saint-Jovite. Les yeux cernés, les traits creusés. Et pour cause. Un cancer la dévorait secrètement. Fernande était partie sans même lui dire adieu. C'est là que tout s'était détraqué. L'adolescente follement amoureuse du plus beau gars de l'école, un grand blond brumeux, totalement épris lui aussi, s'était réveillée en deuil un matin.

Peu après, ils avaient fait l'amour. Une seule fois, un soir d'ouragan intérieur, et cette même fois un spermatozoïde zélé avait réussi à courtiser un ovule et à modifier le cours de sa vie.

Antoine voulait qu'elle garde le bébé. Il voulait aussi l'épouser. Du haut de ses quinze ans en désastre, elle avait refusé et il l'avait quittée. Alors, elle avait courageusement – mais qu'est-ce que le courage lorsqu'il n'y a plus vraiment d'alternative ? – mené sa grossesse à terme. Avec un peu d'aide de Jean.

Marie-Lune frissonna sous le drap mince. Elle songea à se lever, à prendre une douche. Au lieu de cela, elle ramena la douillette sous son menton et se laissa à nouveau emporter par les souvenirs jusqu'à ce matin où elle avait fait une chute à cheval, ce matin où elle avait découvert le regard de Jean. Un regard qui avait semblé fleurir en se posant sur elle. Sans doute l'avait-elle aimé dès cette première fois, mais elle était trop en désarroi pour s'en apercevoir. Ils s'étaient revus par hasard peu après la naissance du moustique. Près des chutes, dans la montagne derrière la côte à Dubé. Ils s'étaient revus et ils s'étaient unis. Mais il avait suffi de quelques mots, l'annonce d'un départ, pour qu'elle s'enfuie.

Finalement, ils avaient tous les deux quitté le lac pour poursuivre leurs études, lui à Montpellier, en France, elle à Montréal. Et puis, un matin, elle avait appris la mort d'Antoine. Un suicide. Et son fragile édifice s'était écroulé.

Marie-Lune ferma les yeux, la gorge nouée par l'émotion. Elle se revit, enfourchant son vélo pour parcourir les cent vingt-trois kilomètres jusqu'au lac. C'était trop de douleur, trop d'horreur en trop peu de temps. Elle voulait mourir. Mais avant, elle souhaitait revoir la maison bleue et les grands sapins au bord de l'eau. Elle avait fait toute cette route et à la fin elle n'avait pas eu accès à la maison de son enfance. Alors elle avait emprunté le sentier menant à la cascade derrière la côte à Dubé, là où elle avait vu Jean la dernière fois.

Sœur Élisabeth ! Encore aujourd'hui, à cet instant même, Marie-Lune aurait voulu se jeter dans ses bras. Elle prit une profonde inspiration et retrouva avec délices le souvenir du visage d'Élisabeth, sa grande sœur de cœur, son petit phare dans la nuit.

Une communauté de très jeunes moniales avait élu domicile près des galets et des gros bouillons dans la montagne derrière la côte à Dubé. Elles l'avaient recueillie dans la chaleur de leur silence et c'est là que Marie-Lune avait refait ses forces et renoué avec Jean. Là aussi qu'elle avait compris que tout n'était pas fini. « La peur est le pire fantôme, avait dit Jean. Il n'y aura pas de fin du monde. L'été ramènera l'automne. Puis l'hiver. Le printemps reviendra. Encore et encore. Et je serai toujours là. »

✦

Dans la cuisine, l'horloge indiquait quatre heures. Sur le comptoir, un sac de chips au citron vert à moitié vide fit sourire Marie-Lune. Jean mangeait bio par principe, mais il adorait la plupart des collations jugées infectes par tous les bonzes de la santé. Marie-Lune trouva Jean au sous-sol, installé devant la télé, un bol vide à ses pieds. Il sursauta en l'apercevant. Elle s'approcha, curieuse. Regarder des émissions de télé ne faisait pas partie des loisirs habituels de Jean, encore moins en pleine nuit. Il voulut éteindre l'appareil, mais dans sa hâte il appuya sur la mauvaise touche et des images se mirent à défiler en marche rapide. Gêné, il ferma l'appareil.

— Tu ne veux pas que je voie ? balbutia Marie-Lune.

Jean rougit malgré lui. Puis, découvrant Marie-Lune troublée, il ajouta aussitôt d'un ton badin :

— J'ai peur de te choquer. C'est un film triple triple X.

Marie-Lune restait figée, alors il l'attira tendrement vers lui.

— Qu'est-ce que tu imagines, beauté ?

Il était ému de la retrouver, chaude et ensommeillée, les cheveux défaits, nue sous une chemise à lui rapidement enfilée. Marie-Lune fouilla en elle pour trouver le courage d'entrer dans le jeu.

— J'ai toujours su que tu étais en réalité un pervers maniaque clandestinement abonné à un tas de trucs répugnants, dit-elle en prenant une moue dégoûtée.

— Alors, ça t'intéresse, hein ? Espèce de petite crapaude… Tu as envie de voir des mâles déchaînés, de vraies bêtes. Allez… Avoue !

Marie-Lune fit signe que oui, puis elle se pencha vers son compagnon et enfouit son nez dans le cou de Jean pour se repaître de son odeur. Une fois rassasiée, elle se blottit tout contre lui et laissa échapper un soupir de contentement. Comme souvent, depuis leur tout premier contact, elle avait l'impression que rien de vraiment mauvais ne pouvait lui arriver tant que Jean serait à ses côtés.

Jean alluma la télé et mit le lecteur DVD en marche. Un chien bondit aussitôt sur l'écran, rien de bien redoutable, un golden retriever à l'air bonasse, avec deux grands yeux caramel et une gueule baveuse qui semblait figée dans un éternel sourire. Une grosse bête, courte sur pattes et large de derrière, la queue haute et frétillante.

— Max, commenta Jean. Beau cul, hein ?

Marie-Lune rit de bon cœur. Le chien galopait maintenant vers un enfant, un petit bonhomme de cinq ou six ans au visage étonnamment grave. L'animal s'arrêta à distance respectueuse de l'enfant. Jean apparut alors sur l'image. Il s'approcha du petit garçon, se recroquevilla pour être à sa hauteur, puis appela le chien qu'il accueillit en lui faisant la fête, multipliant les caresses bientôt gratifiées d'un grand coup de langue baveuse sur la joue. L'enfant observait la scène avec un brin de méfiance, mais il était quand même visiblement attiré. Il attendit un peu, fit timidement un pas et, du bout de ses doigts potelés, effleura délicatement le pelage de l'animal.

Marie-Lune gardait les yeux vissés sur l'écran. Elle n'avait pas souvent vu Jean avec un enfant. Mais chaque fois, la douleur était cuisante.

— Jacob, annonça Jean. Problèmes socio-affectifs multiples et peur maladive des étrangers. Histoire familiale pourrie.

— Qu'est-ce que tu fais là? demanda Marie-Lune d'une voix rauque, encore chavirée par le spectacle.

— Je participe… enfin, c'est plutôt moi qui le dirige… Il s'agit d'un projet pilote de zoothérapie infantile, mené à Saint-Jovite en collaboration avec l'École de médecine vétérinaire de l'Université de Montréal, expliqua Jean un peu trop rapidement. C'est tout neuf, encore très embryonnaire…

Il avait l'impression ridicule d'être pris en flagrant délit.

— Tu n'osais pas m'en parler… commença Marie-Lune alors que Jean appuyait doucement quelques doigts sur ses lèvres pour la faire taire.

— Chuutt! murmura-t-il en soufflant dans ses cheveux.

Marie-Lune le repoussa.

— Arrête de tant vouloir me protéger, lui reprocha-t-elle trop durement.

Les mâchoires serrées, le front plissé par l'anxiété, Jean prit le temps de rassembler ses idées, chercha les mots, conscient d'avancer en terrain dangereux. Comme souvent. Comme presque toujours, songea-t-il avec humeur. Tant de sujets, tant de mots étaient devenus tabous. Comment pouvait-il ne pas tenter de la protéger alors même qu'un rien suffisait à l'ébranler ? Un brusque découragement l'envahit. Réussiraient-ils un jour à tourner la page ?

Marie-Lune avait déjà honte de son attitude. Elle fit un effort pour se ressaisir et parvint à ajouter d'une voix plus calme :

— Il faut qu'on apprenne à vivre avec… ça.

— Tu as raison. Il le faut absolument, reprit Jean sans oser ajouter que la balle était dans son camp, qu'elle seule pouvait combattre ses fantômes.

Le regard de Marie-Lune s'embrouilla. Elle baissa la tête et les mots s'éteignirent dans sa gorge lorsqu'elle ajouta, piteuse :

— Tu ne vas quand même pas te cacher pour voir des enfants…

Jean ne répondit pas. Les paroles n'avaient plus de poids. Il souffrait lui aussi mais pour des raisons différentes. Il avait réussi à faire le deuil de l'enfant dont il rêvait, mais il refusait de renoncer à la femme dont il était tombé amoureux. La Marie-Lune lumineuse et vibrante qui lui avait harponné le cœur. Celle qui n'était parfois plus qu'un souvenir.

Une main atterrit sur sa joue. Des doigts fins, parfumés et doux. Jean se tourna vers sa compagne. Et il lui sembla soudain que dans le ciel trop bleu de ses yeux tout n'était pas éteint. Ils souffraient tous les deux, mais cette douleur ne parvenait pas à étouffer l'immense tendresse qu'ils éprouvaient l'un pour l'autre.

Ils n'avaient pas fait l'amour depuis des lunes et pourtant, à cet instant même, aucun d'eux n'aurait osé amorcer un geste. C'était trop risqué. Et c'était déjà bien assez merveilleux qu'au creux de la nuit, un souffle ranime les braises encore chaudes d'une passion abîmée par les assauts répétés du destin. Ils s'embrassèrent comme des adolescents en pressant leurs corps l'un contre l'autre avec une sorte de ferveur désespérée.

Chapitre 6

Une enveloppe gauchement fabriquée attendait Gabriel sur son lit. À l'intérieur, il découvrit une carte dessinée par sa sœur. Christine avait patiemment reproduit le dessin d'Éliza la petite fée munie de sa fameuse baguette. La jeune artiste avait même collé de minuscules confettis scintillants au bout de l'instrument magique pour plus d'effet. La carte renfermait une invitation. La fée Éliza avait pour mission de convaincre le grand frère de Christine d'accompagner sa famille à un « week-end spécial de retrouvailles » qui réunirait une douzaine de familles ayant adopté un enfant en Chine. Ces bébés ramenés de l'orphelinat de Nanchang à l'été 1995 étaient devenus des « enfants bananes », « jaunes en dehors et blancs en dedans », comme se plaisaient à dire les parents adoptifs. Christine les appelait ses cousins d'orphelinat. Elle gardait dans une boîte à trésors une photo d'elle à trois mois en compagnie de plusieurs d'entre eux.

Claire et François considéraient ces étrangers, parents et enfants, comme des membres d'une grande famille dont ils faisaient eux-mêmes partie, Gabriel compris. Pendant des années, Gabriel avait subi sans trop broncher d'étranges soirées annuelles rassemblant une tribu d'enfants aux yeux bridés, heureux de se retrouver, et quelques égarés comme lui qui ne comprenaient pas trop ce qu'ils faisaient là. Tous les parents, sauf un couple de Belges, étaient nés au Québec de parents québécois. Ils n'avaient mis les pieds en Chine qu'une seule fois dans leur vie, et c'était pour aller cueillir leur enfant à l'orphelinat, exception faite d'un couple de Jonquière qui était retourné afin de ramener une deuxième fillette aux yeux en amande. Mais tous ces parents se sentaient profondément unis par des souvenirs communs intenses et des expériences de vie familiale partagées.

L'année précédente, Gabriel s'était trouvé une bonne excuse pour éviter cette soirée. Cette fois, l'entreprise s'avérait plus délicate, car il s'agissait d'un rassemblement spécial et de longue durée, une sorte de « classe jaune » au fond, s'amusa-t-il à penser avec une pointe de sarcasme, dans une auberge en Mauricie. Gabriel avait déjà commencé à dresser l'inventaire des excuses possibles, toutes d'importance capitale, pour échapper à ce fameux week-end, lorsque Christine entrouvrit doucement sa porte :

— Le souper est prêt ! annonça-t-elle gaiement en repérant l'enveloppe et la carte dans les mains de son frère.

— J'arrive, grogna Gabriel, sur le ton de celui qui ne souhaite pas être dérangé.

Christine disparut pour revenir aussitôt :

— C'est des macaronis au fromage, ajouta-t-elle d'une voix triomphante avant de s'éclipser pour de bon.

Christine appréciait à peu près tous les mets que leur préparait Claire, mais elle raffolait tout particulièrement des plats de pâtes : macaronis au fromage, lasagnes gratinées, spaghettis au pesto ou tortellinis sauce rosée. Christine Veilleux, huit ans, jaune en dehors et blanche en dedans, avait des goûts

75

de Sicilienne, assaisonnements au piment compris, mais ce qui la caractérisait surtout, c'était son fabuleux appétit pour la vie. Sûrement qu'une fée, lointaine cousine d'Éliza, s'était faufilée entre les berceaux dans le triste orphelinat de Nanchang où la fillette attendait que son nom soit tiré à la triste loto de l'adoption internationale. D'un coup de baguette chinoise, la fée avait accordé à ce minuscule poupon souffrant de malnutrition, abandonné dans un parc par sa mère à l'âge de trois jours, le don du bonheur. Depuis, Christine avançait dans la vie avec la légèreté d'un elfe et l'enthousiasme d'un chiot.

— Ça va? T'as eu une bonne journée? demanda François alors que Gabriel rejoignait les autres à la table.

— Ouais, marmonna l'adolescent.

Claire et François échangèrent un regard déçu qui n'échappa pas à Christine. La fillette décida alors que ce n'était sans doute pas le meilleur moment pour interroger son frère sur ses intentions. La conversation s'anima bientôt entre Claire et Christine, toutes deux très excitées par la perspective du fameux week-end. Chaque famille était responsable d'un mets à apporter et d'une activité à organiser. Il était déjà question de raviolis maison farcis au fromage et d'une partie de Twister géant. François venait d'être mandaté pour dénicher une grande toile de plastique épais que mère et fille peintureraient.

Gabriel observa son père à la dérobée. La discussion entre Christine et Claire semblait le distraire, sans le passionner outre mesure. Armé d'une cuillère à soupe qu'il tenait bizarrement comme si c'était un poignard, il mangeait avec appétit en maniant son ustensile avec une maladresse à laquelle tous les membres de sa famille s'étaient habitués. Gabriel venait tout juste de passer en deuxième année lorsque François s'était déchiqueté le pouce avec une scie sauteuse à l'atelier d'ébénisterie où il travaillait depuis une dizaine d'années. Un jeune commis qui avait l'habitude de fumer un joint à la dérobée à l'heure du lunch avait décidé de célébrer l'arrivée du vendredi en reniflant un peu de poudre. Une heure plus tard, il échappait le lot de planches qu'il transportait, assommant François au passage. L'ébéniste avait perdu la maîtrise du dangereux outil qu'il manipulait et Dieu seul sait par quel miracle il ne s'était pas tronçonné la main en entier.

La suite ressemblait à un mauvais roman. Le jeune père de deux enfants, dont un bébé de six mois fraîchement arrivé de Chine, s'était engagé dans une bataille légale épuisante pour ne récolter que des miettes d'indemnisation. À l'époque, Claire avait déjà vendu sa boutique de vêtements afin de payer les frais d'adoption et de mieux se consacrer à ses deux enfants. Le couple avait été contraint d'abandonner l'érablière où ils avaient rêvé de voir grandir leurs enfants pour aller s'installer dans une ville de banlieue sans âme des Basses-Laurentides. François venait de perdre ce qu'un ébéniste a de plus précieux après ses yeux. Cette main amputée du pouce qui avait du mal à tenir un crayon ne serait plus d'aucune utilité pour sculpter le bois. Il avait laissé un métier qu'il pratiquait avec une maîtrise exceptionnelle, un talent artistique sûr et surtout beaucoup de bonheur, pour accepter un emploi de contremaître dans une usine de fabrication de fenêtres. C'est là qu'il avait offert à son fils de travailler, quelques mois plus tôt, à l'été de ses seize ans. Gabriel avait refusé sans réussir à expliquer pourquoi, laissant son père avec la fâcheuse impression qu'il méprisait sinon son métier, du moins l'établissement où il travaillait.

C'était tout faux, mais Gabriel, encore une fois, n'avait pas su trouver les mots. Il aurait voulu pouvoir expliquer à son père qu'il préférait accepter un emploi dans une crèmerie, à deux tiers du taux horaire qu'il aurait eu à l'usine, parce que… parce que c'était « plus lui ». Tout bêtement. Le travail routinier au Dairy Queen, dans une petite niche derrière la vitre coulissante, à servir des cornets ordinaires ou gaufrés, de crème glacée molle montée en spirale, à la vanille ou au chocolat, trempée ou pas dans la sauce au fudge et avec ou sans noisettes pilées en prime, lui convenait davantage que le défi plus exceptionnel de commis d'usine, un emploi où il aurait pu, d'un été à l'autre, gravir des échelons et obtenir éventuellement un salaire et des responsabilités tout à fait enviables. Malheureusement, l'emploi au Dairy Queen s'était révélé de bien courte durée. Au bout de trois semaines, le gérant avait remplacé Gabriel par sa nièce fraîchement arrivée de Vancouver, où elle avait été renvoyée du Banff Springs Hotel.

— Tu veux ton gâteau avec ou sans crème glacée ? lui demandait justement sa mère.

Gabriel leva vers Claire un regard un peu perdu.

— Sans, répondit-il finalement.

Christine avala pensivement deux autres bouchées de gâteau renversé à l'ananas. Elle s'était promis de ne pas aborder le sujet ce soir, mais l'envie de savoir était devenue trop pressante. Alors elle lança, un peu brusquement parce qu'elle redoutait la réponse :

— Vas-tu venir, Gabi ?

Gabriel était encore derrière la vitre coulissante du Dairy Queen à revivre un pan de son été. Christine répéta, en ajoutant des précisions :

— Vas-tu venir à l'auberge avec tout le monde pour la fin de semaine spéciale ?

Tous les regards étaient braqués sur l'adolescent. Claire et François attendaient eux aussi.

— Non, s'entendit-il répondre sur un ton inutilement dur.

— Pourquoi ? demanda Christine, dont la déception faisait peine à voir.

Gabriel baissa les yeux et commença à piocher dans son assiette. Il aurait aimé être à la hauteur. Il aurait souhaité que François et Claire héritent d'un fils plus gai, mieux adapté, plus reconnaissant. Le pendant masculin de Christine, tiens. Il aurait développé une relation de joyeuse complicité avec François, comme Christine avec Claire. Ils auraient eu de longues conversations animées et ils auraient partagé une foule d'activités, comme deux grands copains. Gabriel fouilla dans ses pensées pour retrouver les excuses qu'il s'était préparées. Au lieu d'invoquer un projet spécial de groupe en bio ou un tournoi extraordinaire de soccer, il s'entendit répondre :

— Parce que je ne suis pas né en Chine, moi.

◆

La barre atterrit sur le sol avec un bruit d'explosion et roula hors de la zone habituelle. Chacun continua à se concentrer sur le mouvement précis qu'il répétait, mais secrètement toute l'attention était dirigée vers Gabriel. Jean-Nicolas, Denis, Étienne, Jeff et Guillaume, bien sûr, avaient tous remarqué que Veilleux n'était pas dans son assiette. Non pas qu'il fût dans une forme inouïe autrement. Depuis des semaines,

Power Boy paraissait encore plus renfrogné que d'habitude, mais ce soir-là, une rage sourde grondait en lui et il semblait avoir toute la misère du monde à la contenir. Pendant un moment, Guillaume songea que l'adolescent aurait pu arborer un dossard portant l'inscription: *Attention danger!* ou plus simplement: *Explosif!*

Gabriel abandonna sa barre sur le sol, s'épongea rapidement et entreprit de se rhabiller en vitesse. C'était la première fois qu'il quittait la salle d'haltérophilie avant d'avoir terminé sa séance d'entraînement. Jusqu'à ce soir, il avait toujours réussi à dompter le bouillon d'émotions dans son ventre en levant des barres, en s'investissant totalement dans cette suite de mouvements intenses et répétitifs qui lui permettait d'atteindre un semblant de paix intérieure. Les premiers levers étaient parfois plus gauches et moins bien sentis, mais peu à peu il parvenait à canaliser toute sa concentration et toute son énergie dans l'exercice. Il n'y avait plus rien alors pour alimenter la peur, la colère, la honte, le doute, l'inquiétude, le désarroi. Ce soir-là, c'était différent. Le tumulte de l'orage dans ses entrailles couvrait tout, il l'envahissait totalement, sans relâche et sans pitié.

L'air frais du dehors lui fit du bien. Un vent lourd de pluie soulevait les feuilles dans la rue, les éparpillant paresseusement au gré de ses humeurs sans tenir compte des efforts particuliers de quelques propriétaires zélés qui avaient employé leur dimanche à pousser les dernières feuilles de leur pelouse dans la rue. Gabriel se dirigea tout naturellement vers la rue Laflèche, où Claire, François et Christine l'attendaient dans un bungalow aux murs extérieurs recouverts d'aluminium gris avec, dans les yeux, tous les reproches du monde. François surtout. La veille, après le refus de Gabriel de participer au grand week-end sino-québécois, François était venu cogner à la porte de son fils.

— Je peux entrer ?

Il n'avait pas attendu la réponse. Il avait ouvert la porte et s'était assis au pied du lit où Gabriel s'était installé pour réviser ses notes d'histoire en vue d'un examen. Heurté par ce manque de délicatesse et un peu inquiet quant au contenu de la discussion à venir, Gabriel avait gardé les yeux rivés sur la page de son cahier. Alors, sans prévenir, François avait éclaté :

— C'est trop te demander de me regarder ? Je ne suis pas un courant d'air, je suis ton père !

Gabriel s'était composé un visage impassible avant de lever les yeux vers son père. Il lui semblait impérieux de dissimuler son désarroi. C'est d'ailleurs François qui lui avait enseigné cette stratégie militaire des plus élémentaires, alors qu'ils jouaient à Risk : l'importance de cacher ses zones de fragilité à l'ennemi. Mais depuis quand, au juste, son père s'était-il transformé en ennemi ?

— Je ne te comprends plus, Gabriel, avait lancé François d'un ton plus las qu'exaspéré. Qu'est-ce qui cloche ? Qu'est-ce qu'on t'a fait ou pas fait ? On dirait que tu nous trouves pas assez bons pour toi. Qu'est-ce que tu veux ? Dis-le donc ! Et qu'est-ce qui te manque ? Veux-tu bien m'expliquer !

François lançait des perches en espérant que son fils en attraperait une. Il souhaitait surtout briser cet insupportable silence, forcer Gabriel à sortir de sa caverne et à dire enfin haut et fort ce qui le fâchait, l'ennuyait ou le rongeait. Dans sa tête, Gabriel cherchait des réponses, mais des idées troubles et des sentiments confus se bataillaient en lui. Qu'est-ce que je veux? Qu'est-ce qui me manque? se répétait-il.

— On a tout fait, Claire et moi, pour te donner tout ce dont tu pouvais avoir besoin, poursuivait François, fébrile. Et plus encore. T'as une mère… extraordinaire! Une petite sœur qui est comme un rayon de soleil vivant. Et puis… moi. Je suis peut-être juste un père bien ordinaire, mais je t'aime et je voudrais te rendre heureux. Ça nous fait mal, à ta mère, à ta sœur et à moi, de te voir tout croche, mal dans ta peau. On n'est pas fous. On sent très bien que tu nous reproches quelque chose. Alors on voudrait savoir quoi. Comprends-tu? Pour t'aider…

Les derniers mots s'étaient brisés comme une lame sur un rocher. Alors François, qui avait l'habitude d'évoluer dans un monde d'hommes avares de démonstrations sentimentales, s'était brusquement levé et il avait quitté la chambre de son fils, les épaules courbées et le pas pesant.

Gabriel était resté de longues minutes sans bouger. Les paroles de son père fusaient en tous sens sans qu'il parvienne à les harnacher. Une question surtout résonnait furieusement à ses oreilles: «Qu'est-ce que tu veux ? Dis-le donc ! » Et puis soudain, une réponse était montée aux lèvres de Gabriel. Une petite phrase surprenante qu'il prononça à voix haute, comme s'il avait besoin d'éprouver le poids de chaque mot.

— Je veux savoir qui je suis.

« Je veux savoir qui je suis », se répéta silencieusement Gabriel en poursuivant sa route vers la rue Laflèche. Mais au dernier moment, juste avant d'emprunter la rue transversale, il modifia son parcours et s'engagea sur un passage piétonnier pour atteindre la piste cyclable intermunicipale, un sentier de terre battue aménagé sous les tours d'Hydro-Québec. Le vent continuait d'arracher au sol des paquets de feuilles à moitié pourries. Derrière les bungalows plantés en rangée, les cours se succédaient, la plupart clôturées, chaque famille visiblement soucieuse de bien délimiter son territoire. Des cages, songeait Gabriel. Trois ou quatre, plus rarement cinq individus par unité. Un même modèle de base avec quelques variantes : tilleul, érable ou peuplier, plate-bande de vivaces, d'annuelles ou de plantes mixtes, piscine creusée, piscine hors terre ou terrain de jeu, terrasse avec pergola, auvent rétractable ou parasol…

Gabriel avançait d'un pas vif et régulier. Il avait besoin de dépasser ce paysage trop sage, d'atteindre un espace plus vaste, moins domestiqué, un lieu qui lui ressemblerait davantage. Pendant des semaines, peut-être même des mois, il avait eu l'impression de tourner en rond au fond de lui-même, tel un lion en cage, sans parvenir à cerner son ennemi, et voilà qu'il l'avait enfin identifié. Cet adversaire auquel il devait s'attaquer, c'était lui. Ou, plutôt, ce vide en lui, ce flou en lui. « Qui suis-je ? » Il devait absolument, rapidement et impérieusement trouver la réponse à cette question.

Alors Gabriel décida de s'y attaquer tout de suite en commençant par établir ce qu'il savait de lui. Il lui sembla aussitôt plus facile de commencer en énumérant ce qu'il n'était pas. Il n'était pas gai comme Christine. Ou Claire. Sa sœur et sa mère semblaient toujours portées par un élan joyeux. Peu d'expériences avaient raison de leur optimisme indéfectible et bien peu de personnes résistaient à leur entrain contagieux. Il n'était pas simple, clair et droit comme François. Si son père avait été un cours d'eau, il aurait été une rivière, coulant tout naturellement vers son confluent. Alors que lui, Gabriel

Veilleux, aurait été une mer en furie, agitée par d'impitoyables soulèvements et de spectaculaires marées, traversée par des courants impétueux, une mer bouillonnante, exaltée, une mer d'eau trouble, aux entrailles ravagées par d'épuisantes luttes secrètes.

Il n'était pas comme eux et il en avait parfois honte. Il n'appréciait pas son rôle de mouton noir. Celui qui déparait le troupeau. François n'avait-il pas raison de s'attendre à un peu plus de gratitude? Gabriel Veilleux n'avait-il pas contracté une dette envers ses parents adoptifs? Sans doute leur devait-il d'être un bon fils, content, reconnaissant, épanoui, performant, mais il n'y parvenait tout simplement pas. Quelque chose en lui se rebellait. Tant pis pour eux s'ils étaient insatisfaits de la marchandise. Il n'existait malheureusement aucune possibilité de remboursement ou d'échange. Il n'avait pas lui-même demandé à venir au monde pour être ensuite offert en cadeau.

Et puis, au fond, il leur en voulait, à eux, d'être si différents. Tout aurait été tellement plus facile s'il avait pu trouver des échos de lui-même dans son entourage familial. Il aurait aimé pouvoir, comme Christine, jeter un regard autour de lui et sentir qu'il appartenait clairement à cet univers. Être à sa place dans la vie. Au lieu de cela, il avait l'impression d'avoir atterri au mauvais endroit. Comme si la clé de cette question si pressante – Qui suis-je ? – se trouvait ailleurs, dans les mains d'autres individus.

La piste cyclable qu'il avait empruntée prenait fin dans un parc. Il avançait maintenant sur un sentier discret, de ceux qui ont été lentement tracés par une multitude de pas répétés, au cœur d'un territoire où alternaient les espaces boisés et les marécages. De temps en temps, un oiseau criait comme pour alerter une tribu secrète de la présence de Gabriel. Celui-ci avait l'impression de respirer mieux. Le temps avait fraîchi, les assauts du vent devenaient plus forts et Gabriel se sentait bien dans ce déploiement d'éléments. Il remarqua que le soir était tombé. Des lavis pastel barbouillaient le ciel à l'horizon. Il songea à Claire qui, malgré un naturel optimiste, était bien trop mère poule pour ne pas se faire du mauvais sang. Combien souvent avait-elle alerté tout le quartier pour un retard de quelques minutes seulement, au retour de l'école, quand il était petit ? Accueilli en messie alors qu'il s'était livré à des activités somme toute assez peu édifiantes, le plus souvent une bataille à laquelle il s'était contenté d'assister ou un défi entre garçons dont il avait été témoin, il s'était toujours senti un peu coupable de soulever de telles passions à si peu de frais.

Il allait rebrousser chemin lorsqu'il crut apercevoir une trouée au loin. Il accéléra le pas et parvint assez rapidement à une étendue d'eau bordée çà et là d'herbes hautes. Un simple étang échoué au beau milieu de nulle part. Le vent froissait la surface d'encre, distribuant des éclats d'argent aux scintillements discrets qui allaient se perdre un peu plus loin. Ce spectacle si inattendu n'en était que plus réjouissant. Qui aurait cru qu'il suffisait de marcher tout droit pour atteindre cette oasis ? Gabriel y voyait comme un présage. Tout n'était pas perdu. La vie lui réservait encore d'heureuses surprises.

Un cri rauque, tout près, le fit sursauter. Il découvrit une petite masse sombre à la surface de l'eau derrière un buisson d'églantier. Gabriel s'approcha à pas lents, en déployant de grands efforts pour ne pas faire de bruit. C'était un canard, une bête de bonne taille, d'une espèce qu'il n'aurait pas su identifier. À la lumière du crépuscule, son plumage était plutôt terne, mais en observant mieux, Gabriel découvrit un collier plus pâle à la hauteur du cou. Il resta un long moment à épier la bête, qui plongea la tête à quelques reprises dans l'eau noire. Et puis soudain, sans même qu'un bruit ait pu l'alerter, l'oiseau étira le cou, agita la tête, courut sur l'eau et prit son envol. Gabriel resta encore plusieurs minutes immobile, habité par l'écho du claquement d'ailes et surpris du vide creusé par ce départ.

Sur le chemin du retour, il se souvint d'un conte d'Andersen, *Le Vilain Petit Canard*, que Claire lui avait raconté soir après soir pendant des mois. C'était son histoire préférée lorsqu'il était petit. Gabriel se souvenait de Claire glissant son index sous les lettres dorées de la page couverture en récitant sur un ton cérémonieux, empreint de plaisir, le titre du conte puis le nom de l'auteur avant d'ouvrir le livre. Le héros de l'histoire, un petit canard malingre et gris, était profondément malheureux parce qu'il ne ressemblait à aucun des canards autour de lui. Or, à la fin, au bout d'une longue quête initiatique et après bien des mésaventures, il découvrait enfin ce qui le rendait si différent : il n'était pas un canard mais un cygne !

La nuit était tombée lorsque Gabriel franchit le seuil du 609, rue Laflèche. Il ne se souciait ni de l'inquiétude de sa mère ou de sa sœur, ni de la mauvaise humeur de son père qui lui en voudrait sûrement d'avoir créé une commotion. Il venait de prendre une décision importante. À l'instar du vilain petit canard du conte, Gabriel Veilleux allait lui aussi entamer une quête pour résoudre l'énigme en trois mots qui l'obsédait tant : « Qui suis-je ? » Et peut-être parviendrait-il du même coup à trouver une réponse aux autres questions qui l'accablaient : « Pourquoi suis-je différent ? À qui est-ce que je ressemble ? Quelle est ma place dans ce monde ? »

En refermant la porte d'entrée derrière lui, Gabriel Veilleux se promit de téléphoner au Centre jeunesse dès l'ouverture des bureaux le lendemain. Et si cette démarche ne suffisait pas, il irait jusqu'à Montréal et il ne quitterait pas l'édifice avant d'avoir obtenu l'information. Il avait mis du temps à prendre cette décision, mais il était bien résolu. Impossible de reculer désormais. Il avait trop besoin de savoir.

Chapitre 7

La nuit se dissipait lentement avec des étirements de chatte paresseuse, dégageant peu à peu un ciel d'abricot au sommet des montagnes. Jean dormait encore profondément, les poings fermés, la tête blottie au creux d'un bras replié. De temps en temps, il poussait de brefs soupirs qui tenaient lieu de ronflement. Sinon, le silence était entier. Aucun cri ni remuement de bête. Comme si tous les oiseaux du monde avaient fui.

Du bout des doigts, Marie-Lune caressa l'épaisse chevelure de Jean, puis sa joue hérissée de poils rêches, son épaule massive… Jean allongea le bras, comme s'il cherchait à atteindre quelque chose ou quelqu'un. Il resta ainsi un moment en attente, la main ouverte, puis, ramenant le bras vers lui, il se recroquevilla sous les couvertures en poussant un faible gémissement qui exprimait sans doute sa déception d'être abandonné à lui-même pour poursuivre la nuit.

La veille, Jean avait prévenu qu'il rentrerait tard. Marie-Lune avait deviné qu'il travaillait à son projet de zoothérapie infantile, puisque la clinique était fermée ce soir-là. Il avait rejoint Marie-Lune au lit où elle relisait pour la énième fois *Le Chant du monde* de Jean Giono, un de ces livres culte qu'elle fréquentait assidûment, à la manière d'un vieil ami, surtout les jours de mélancolie. Jean s'était approché doucement et il l'avait serrée dans ses bras comme il faisait à chacune de leurs retrouvailles, quelle que fût la durée de l'absence, depuis plus de dix ans maintenant. Et comme chaque fois, Marie-Lune avait reconnu avec plaisir ce territoire d'appartenance. Il l'avait gardée pressée contre lui et elle avait senti monter le désir de son compagnon. Une vague angoisse l'avait alors alertée, mais elle l'avait ignorée. Elle avait plutôt fait mine de s'abandonner, espérant que si elle le forçait un peu, son corps finirait par suivre sa volonté. Mais Jean était trop sensible pour se laisser berner. Il l'avait sentie se raidir et, aussitôt, il avait relâché son étreinte en lui souhaitant bonne nuit d'un ton froid dans lequel perçait la tristesse. Il n'avait pas eu le temps ou peut-être n'avait-il plus l'énergie pour dissimuler le sentiment de frustration qu'il éprouvait.

Depuis des mois déjà, quelque chose en elle s'était brisé et les avances de Jean, jadis partagées, étaient reçues comme autant d'assauts malgré tout l'amour qui y était inscrit. Parfois, Marie-Lune sentait le désir monter dans son ventre, puis gonfler et se propager. Mais soudain, tout s'effondrait. La peur n'y était pour rien et l'amour n'avait pas cessé d'être au rendez-vous. Jean le savait. Ils en avaient maintes fois discuté. C'était une réaction animale, instinctive, irraisonnable. Un réflexe de protection difficile à combattre. Faire l'amour était devenu synonyme de désastre.

L'avortement spontané, la perte tragique d'une première promesse d'enfant, les avait d'abord rapprochés. Pendant plus d'un an, Marie-Lune avait gardé à son chevet, sur sa table de nuit, tel un talisman, les minuscules chaussettes de poupon que Jean avait rapportées d'une boutique de Saint-Jovite le jour où elle lui avait annoncé que le test de grossesse acheté en pharmacie était positif. Ce jour était resté inscrit au chapitre des quelques moments magiques de son existence. Elle s'était alors souvenue d'un autre épisode de sa vie, à la fois semblable et tellement différent : cette fois où le docteur Larivière lui avait annoncé sa première grossesse. Jamais elle n'oublierait l'immense détresse qui l'avait submergée à mesure que cette terrible vérité s'incrustait dans l'espace fragile de ses quinze ans. Et voilà que la même annonce, quelques années plus tard, l'avait remplie d'une joie indicible, d'un bonheur d'une intensité presque insoutenable. Depuis, elle aspirait de tout cœur à revivre cette joie.

Après une période de convalescence sur recommandation du médecin, Marie-Lune et Jean s'étaient à nouveau attaqués à la tâche, un peu nerveux, mais confiants et terriblement affamés l'un de l'autre après ces semaines de privation. Ils avaient l'impression de faire l'amour comme des dieux, portés par un même élan, en parfaite communion de corps, d'âme et d'esprit. Mais le miracle tant espéré n'avait pas eu lieu. Après des nuits et des nuits d'étreintes ardentes, Marie-Lune découvrait toujours avec horreur des taches de sang dans sa culotte et elle se sentait bafouée, diminuée. Trahie par la vie.

C'est Jean qui avait gentiment suggéré qu'ils consultent. Ainsi avait débuté un long calvaire stressant et souvent humiliant. Des mois et des mois d'investigations dans une clinique de fertilité avec chaque fois de nouvelles hypothèses à vérifier. Chacun souhaitait secrètement ne pas être à l'origine de l'échec, tout en s'inquiétant de la douleur de l'autre le cas échéant. Et puis le verdict était tombé. Rien ! Tout était pour le mieux dans le meilleur des mondes à cette exception près qu'ils n'arrivaient pas à fabriquer un bébé.

Ni l'un ni l'autre n'avait su comment interpréter ce diagnostic. Soulagement parce qu'il laissait percer une lueur d'espoir ? Découragement parce qu'ils n'étaient guère plus avancés ? Tout au long de l'éprouvante enquête, ils avaient souvent conçu un plaisir mitigé à se retrouver sous les couvertures. Les gestes étaient devenus moins spontanés, l'angoisse étranglait le désir et un sentiment d'échec abîmait leur ardeur. Le thérapeute qui les accompagnait dans cette démarche leur avait expliqué que tout cela était parfaitement

normal. Le drame, c'est qu'une fois la recherche terminée, pour Marie-Lune, rien
n'avait changé. Sauf en de rares occasions,
comme autant d'embellies dans un ciel
d'orage, elle ne parvenait plus à s'abandonner.

Le thérapeute leur avait conseillé d'être
patients, de se traiter mutuellement comme
des convalescents, de prendre le temps nécessaire pour faire un certain deuil. Marie-
Lune avait ainsi compris qu'elle avait un
rêve à enterrer. Une révolte sourde avait
grondé en elle. Elle aurait voulu défoncer le
ciel, faire exploser la planète. Mais la rébel-
lion avait été de courte durée. Elle s'était
bientôt sentie vidée de toute énergie. As-
sommée, brisée, broyée.

C'est alors qu'elle avait écrit son premier
et unique roman. L'entreprise l'avait apai-
sée. À l'époque, elle réussissait encore à tenir bon. Mais tous les coups n'avaient pas
encore été portés. Il restait la lettre de Claire,
cet assaut brutal, inexplicable, inattendu.
Marie-Lune s'était sentie aussi démolie qu'à
la fin de l'adolescence. Elle avait eu envie
de courir vers le sentier menant à la cascade
et de grimper jusqu'à la petite chapelle de
bois des moniales. Pour prier. Même si elle
ne savait pas prier et même si elle ne croyait

pas vraiment en Dieu. Mais les moniales avaient quitté leur petit paradis depuis des années déjà, chassées par un promoteur immobilier bardé de plans et de permis. Sœur Élisabeth vivait dans un monastère en Italie et ses amies s'étaient éparpillées un peu partout sur la planète.

Le jour où elle avait reçu la lettre de Claire, il y avait eu comme un naufrage en elle. Elle avait perdu l'espoir d'enchantement, celui de danser dans la tempête, d'oser se croire plus forte que le vent, comme ces grands sapins qu'elle avait imaginés indestructibles. Tout cela était faux. À preuve, le vent avait fauché les plus hautes branches d'un des grands sapins devant la maison bleue.

Elle avait reçu la lettre de Claire deux ans plus tôt, le 30 septembre. Depuis, elle se contentait d'exister. Comme si la vie n'était qu'une longue tempête entrecoupée d'accalmies. Elle s'était barricadée dans sa routine, telle une assiégée, évitant les contacts humains trop intenses, les explorations le moindrement risquées et les activités exigeantes. Ne pas réveiller le danger. Ne pas exciter l'ennemi.

Jean poussa un soupir plus long, comme s'il avait surpris les réflexions de son amoureuse. Alors Marie-Lune sortit doucement du lit, elle tira sur l'édredon pour couvrir l'épaule de son compagnon, puis elle le borda délicatement en prenant soin de ne pas l'arracher à son sommeil et s'habilla sans bruit avant de quitter la pièce.

Les premières lueurs de l'aube éclairaient déjà la cuisine. Marie-Lune enfila en hâte un manteau, un bonnet et des gants puis sortit. Elle marcha jusqu'au banc de bois près du lac. Le vent agitait les feuilles d'un vieux bouleau. De minces pellicules de glace s'étaient formées sur le lac pendant la nuit. Marie-Lune leva les yeux vers la cime des montagnes encore embrouillées de nuit. C'est alors que l'horrible pensée qu'elle repoussait depuis son réveil se fraya un chemin jusqu'à sa conscience. Marie-Lune revit Jean en compagnie de Jacob, l'enfant du vidéo, et ses entrailles se nouèrent.

Un plan douloureux s'élaborait en elle. Jean souffrait lui aussi. En silence. Il rêvait d'une femme consentante et d'un enfant à lui. Alors Marie-Lune songea que le temps était peut-être venu de rendre à Jean sa liberté, de le délivrer d'elle-même afin qu'il puisse réaliser son rêve auprès d'une autre femme. Même si elle avait déjà porté un enfant dans son ventre et malgré les propos rassurants de Jean qui lui répétait sans cesse le diagnostic du médecin établissant que l'un comme l'autre semblaient tout à fait capables de participer à la conception d'un enfant, elle-même était persuadée que la tarée, l'infertile, c'était elle. Dans les brouillards d'un vieux sentiment de culpabilité profondément incrusté, elle avait l'impression que si son ventre restait tristement vide, c'est parce que le sort, la vie, le destin ou quelque puissance divine ou secrète la punissait d'avoir abandonné un petit garçon de quatorze jours dans les bras d'une autre femme.

Pendant un moment, elle laissa son regard sonder le spectacle exquis de montagnes et de ciel puis, prenant les arbres à témoin, elle fouilla en elle-même, en quête d'une certitude ou d'un semblant de vérité. Il lui sembla que les montagnes tout autour appuyaient sa décision. L'heure était venue de lâcher prise, de laisser aller.

◆

Un billet de Jean l'attendait sur le comptoir. *Bonne journée !* suivi de trois baisers. Il était parti sans rien avaler et sans s'inquiéter de son absence. Sans doute avait-il imaginé qu'elle était allée faire quelques pas autour du lac. À moins qu'il ne l'ait aperçue sous les arbres depuis la fenêtre de la cuisine. Marie-Lune emporta la note avec elle dans son bureau en se demandant comment elle survivrait à l'absence de Jean.

La sonnerie du téléphone la fit sursauter alors même qu'elle s'installait à sa table de travail. Le quart d'heure suivant fut consacré au recherchiste d'une émission spéciale produite par Céline Lajoie, une animatrice-vedette. Le jeune homme travaillait avec elle à l'organisation d'un vaste concours à l'intention des jeunes de treize à dix-huit ans : *Lettre à un écrivain qui a changé ma vie*. Des milliers d'adolescents allaient être invités à écrire une lettre à un écrivain qui les avait profondément émus, troublés, éclairés, séduits ou influencés. L'écrivain ou le poète en question pouvait être mort ou vivant et venir de n'importe quel pays. Outre l'objectif évident de promouvoir la lecture, les organisateurs du concours souhaitaient démystifier les goûts de lecture des jeunes qui, de l'avis de l'équipe, n'étaient pas confinés aux aventures de Harry Potter.

Marie-Lune l'écouta avec un certain intérêt. Elle se souvenait de ses lectures d'adolescente. La magie de *Shabanu*, un roman d'amour doublé d'une quête initiatique dans le cadre d'un désert lumineux. En refermant le livre pour la première fois – elle l'avait souvent relu par la suite –, elle avait eu l'impression d'en émerger avec des grains de sable entre les doigts, les joues brûlées par un soleil de feu. La force du *Héron bleu*, l'histoire bouleversante d'un adolescent en quête de lui-même et déchiré entre ses deux parents. L'éloquence de *La Nuit de mai*, ce long poème que Musset jeta sur le papier en deux nuits après sa rupture avec George Sand. Un poème que Marie-Lune avait découvert grâce à Fernande, sa mère, qui le lui avait souvent récité lorsqu'elle était petite.

— Oui, c'est un projet formidable, s'entendit-elle répondre à tout hasard, le silence de son interlocuteur lui ayant fait comprendre qu'on attendait d'elle un commentaire.

— Alors, vous acceptez ? se réjouit le recherchiste.

Marie-Lune dut admettre qu'elle n'avait peut-être pas bien saisi la question. Le jeune homme reprit patiemment son discours, expliquant le plus clairement possible cette fois – mais encore fallait-il que son interlocutrice l'écoute, pensait-il – que l'animatrice Céline Lajoie lui proposait d'être la marraine de leur concours. Les cent lettres les plus intéressantes allaient être réunies dans un livre à paraître au printemps, en même temps que l'enregistrement d'une émission spéciale.

— À titre de marraine, en plus de participer à l'enregistrement de l'émission, vous aurez à rencontrer quelques groupes d'élèves choisis dans les écoles ayant le plus haut taux de participation. Vous irez leur parler de votre métier d'écrivaine.

« Quel métier ? songea Marie-Lune. Je lis des manuscrits ! » Elle aurait voulu lui expliquer qu'il y avait méprise. Qu'elle n'était plus écrivaine. Qu'elle ne l'avait jamais été. Mais elle n'avait pas envie de confier d'aussi intimes vérités à un inconnu. Alors, encore étourdie par le flot de paroles, elle demanda simplement :

— Pourquoi moi ?

— Parce qu'il y a trois ou quatre ans vous avez publié un roman qui s'est vendu à plus de cinquante mille exemplaires, expliqua le recherchiste, visiblement habitué à répondre à toutes les questions et objections de ses invités potentiels. Les jeunes s'identifient à votre personnage. À nos yeux, vous seriez une formidable ambassadrice…

— Je… je suis nulle avec un micro, objecta Marie-Lune simplement parce que c'était la première excuse qui lui venait à l'esprit.

Elle se revit sur le plateau de l'émission *Café et brioches* à la parution de son roman. L'attachée de presse des éditions L'achillée millefeuille l'avait prévenue : les questions de l'animatrice, une ex-vedette de téléromans, étaient parfois saugrenues. Mais jamais dans ses cauchemars les plus fous n'avait-elle même imaginé que Justine Lamarre lui demanderait de sa voix la plus suave, en guise d'introduction, si l'adresse de Marie-Soleil, l'héroïne de son roman, le 596, chemin des Épinettes, avait-elle tenu à préciser en ondes, était bien également son adresse à elle, Marie-Lune Dumoulin-Marchand. Marie-Lune avait reçu la question comme un coup de poing. Une charge-surprise en plein ventre. Que faisait cette femme grimaçante, trop parfumée et trop maquillée, qui l'avait accueillie avec une froideur détestable et une absence d'intérêt flagrante, à farfouiller dans sa vie intime? dans la maison où elle avait grandi, souffert, aimé?

L'onde de choc causée par cette question avait été telle que Marie-Lune avait eu un geste brusque et, du coup, elle avait renversé la tasse de café devant elle. Éclaboussée par le liquide qui heureusement avait tiédi, l'animatrice avait poussé un juron digne d'un bûcheron. Un drame inouï dans le cadre d'une émission en direct! Ils étaient passés à un message publicitaire et l'entrevue n'avait jamais eu lieu. Nicole, l'attachée de presse de la maison d'édition, avait accepté qu'il n'y en ait plus.

Le recherchiste continuait d'aligner ses arguments lorsque Marie-Lune l'interrompit:

— Je ne pourrai pas. C'est impossible, dit-elle d'un ton ferme. Je suis désolée.

La conversation s'était terminée avec quelques formules d'usage strictement polies. Recherchiste depuis sept ans et fort compétent, Denis Labelle avait appris que les êtres humains sont souvent destinés à se croiser plus d'une fois. Mieux valait rester courtois, ne pas péter les plombs ni couper les ponts.

Marie-Lune n'avait pas fini d'annoter la première nouvelle du recueil de science-fiction qu'elle devait absolument avoir révisé avant la fin de la journée lorsque la sonnerie du téléphone résonna à nouveau.

— Oui ! lança Marie-Lune avec humeur.

— Hum… Ma chérie aurait-elle avalé un steak de diplodocus enragé ? s'enquit Jean, surpris.

— Excuse-moi, répondit Marie-Lune en s'efforçant de prendre un ton plus chaleureux.

— Bon… Je te dérange. Ça peut attendre, offrit Jean.

— Non, non. J'ai été embêtée par un recherchiste. J'ai cru que c'était encore lui, plaida Marie-Lune.

— Écoute. Je voulais te faire une proposition… Mais plus j'y pense, plus je trouve ça un peu bête de t'en parler au téléphone. Je devrais attendre qu'on soit tous les deux à la maison. Il n'y a pas d'urgence. J'étais simplement enthousiaste…

— Allez ! Parle. Je suis curieuse…

— J'ai reçu une proposition d'adoption.

Un lourd silence suivit. Découvrant soudain sa gaffe, Jean voulut se reprendre.

— Arrête… Ce n'est pas ce que tu penses…
Je veux dire…

Marie-Lune l'interrompit d'une voix
blanche :

— Nous avions convenu que le sujet
était clos. Rangé, classé, sans appel. Ce n'est
pas parce que j'ai confié un enfant à l'adoption que je devrais en prendre un autre en
retour. Simplement pour compenser. Ça ne
marche pas comme ça dans ma tête, ni dans
mon cœur, ni dans mes tripes. Tu le sais très
bien, Jean Lachapelle. Ce qu'on veut, c'est
un enfant à nous. Et on le veut plus que
tout. Pas vrai ? Mais ça n'arrivera pas. On
n'en aura pas. Comprends-tu ça ? ON N'EN
AURA PAS ! Alors, écoute-moi bien parce
que j'ai quelque chose de très important à te
dire. J'allais t'en parler bientôt… J'ai beaucoup réfléchi… Tu peux encore te trouver
une autre conjointe. Et avoir un enfant. Il
n'est pas trop tard. Il n'y a pas d'autre solution, Jean. On est rendus là…

Elle avait tout lâché d'une traite. Sans
s'arrêter pour respirer. Comme en apnée.
Dans le long silence qui suivit, Marie-Lune
n'entendit plus que les cognements affolés
de son cœur.

Puis Jean brisa le silence :

— C'était juste un chiot, Marie-Lune, dit-il d'une voix blanche. Un mini yorkshire, ajouta-t-il avant de raccrocher.

Chapitre 8

Gabriel promena un regard rapide autour de lui pour s'assurer qu'il n'y avait plus aucune menace à l'horizon. Voilà plus d'un quart d'heure qu'il était enfermé dans une cabine téléphonique crasseuse installée devant la station-service à quelques rues de la polyvalente. À sa deuxième tentative, la ligne s'était libérée et sans doute qu'un préposé lui aurait répondu s'il n'avait raccroché brusquement en reconnaissant soudain la voiture de Claire. Recroquevillé au fond de la cabine où il feignait d'attacher ses lacets de soulier, il avait attendu, le cœur battant, pendant que sa mère faisait tranquillement le plein, payait au guichet en prenant le temps d'échanger quelques mots avec le jeune commis et repartait enfin. L'entreprise n'avait pas duré dix minutes, mais Gabriel avait eu l'impression de subir un supplice infini.

L'adolescent défroissa le bout de papier chiffonné pigé au fond de sa poche et composa pour la troisième fois le précieux numéro obtenu deux ans plus tôt en effectuant une recherche sur le Net. Il avait mis deux ans à se décider. Deux ans avant de commettre enfin cet acte qui à ses yeux, malgré toute sa détermination, ressemblait encore à une trahison.

— Service d'adoption, recherche d'antécédents biologiques, Hélène à l'appareil, comment puis-je vous aider?

Gabriel ouvrit la bouche, mais aucun son n'en sortit. À l'autre bout du fil, la dame attendait patiemment. Combien d'autres adolescents étaient ainsi devenus muets avant lui?

— Je veux connaître mes parents... s'entendit répondre Gabriel.

Il ajouta presque tout de suite:

— Pas les rencontrer... Juste savoir qui ils sont...

À partir de là, la conversation avait déboulé. Hélène avait expliqué rapidement la procédure, puis elle avait posé des questions. Que savait-il de ses antécédents biologiques ? Ses parents étaient-ils au courant de sa démarche ? S'entendait-il bien avec eux ? Comprenait-il clairement qu'il n'obtiendrait que des renseignements non confidentiels : son lieu de naissance, son histoire médicale, des informations sur son placement et quelques renseignements sur ses parents biologiques au moment de l'adoption ? En aucun cas il ne pourrait espérer obtenir le nom ou les coordonnées des deux individus qui l'avaient conçu. Si jamais il en éprouvait le désir, il devrait faire une demande de retrouvailles, une entreprise beaucoup plus complexe dont le dénouement n'était jamais garanti.

Gabriel était déjà au courant de ces procédures, mais il eut soudain l'impression de quémander des miettes. Ce qu'on lui promettait lui semblait si peu en comparaison de toutes les questions qui le hantaient. La dame poursuivit, affable et patiente. Il recevrait un questionnaire à remplir dans les prochains jours. Après, il fallait compter deux à trois semaines avant d'obtenir l'information.

— Puis-je noter votre adresse ? demanda Hélène.

Gabriel faillit donner machinalement le 609, rue Laflèche. Il se reprit juste à temps, puis paniqua pendant une ou deux secondes avant de penser à Maxime qui habitait la même rue, du même côté, cinq maisons plus loin. Avec une numérotation où l'on augmentait de deux chiffres à chaque maison, cela signifiait… Oui ! Il revoyait les gros chiffres de cuivre vissés au mur de brique chez les Dupré :

— Le 599, rue Laflèche ! lança-t-il sur un ton triomphant.

Hélène n'émit aucun commentaire particulier. Elle nota ensuite le code postal et ils terminèrent la conversation avec quelques mots polis. Gabriel se doutait bien qu'elle avait remarqué son cafouillage final, mais sans doute n'était-il pas le premier ado à s'inventer une adresse pour recevoir de l'information sur ses antécédents biologiques.

La classe était silencieuse. On aurait entendu une mouche atterrir sur le plancher. Pendant que Paule Poirier lisait à haute voix un poème de Nelligan où il était question de navire, d'ivresse et d'azur, ses trente-deux élèves de cinquième secondaire l'écoutaient avec une attention surprenante, les uns fascinés par l'extraordinaire pouvoir d'évocation des mots qu'elle éparpillait entre les murs de sa voix feutrée, les autres habitués à un minimum de respect et sans doute un peu curieux de découvrir la suite du cours. Le nouveau prof de français avait l'honorable réputation d'être assez peu prévisible.

Paule Poirier avait amorcé sa carrière de professeur de français au secondaire quelques semaines plus tôt, à la fin de septembre, alors qu'elle commençait tout juste à savourer les premières délices de la retraite après vingt ans d'enseignement en première année et vingt autres à la direction de la même école primaire. Jean-Luc Beaudoin, le directeur de la polyvalente des Sources, un vieux copain, l'avait appelée en catastrophe pour remplacer une jeune enseignante qui, après un mois à donner des cours de français, avait décidé qu'elle préférait vendre des vêtements mode dans une boutique à Montréal. Dès son arrivée, Paule Poirier avait fait jaser. D'abord parce qu'elle était gigantesque. Près de cent cinquante kilos de chair molle qui tressautait à chaque pas. Les rires et les quolibets avaient fusé sans ménagement. Or, Paule Poirier semblait s'en ficher royalement. Elle avançait dans la vie comme dans les corridors bourdonnants de la polyvalente d'un pas parfaitement sûr, le sourire large et le regard pétillant, l'air de quelqu'un à qui le monde appartient.

Le bruit avait vite circulé que dans le cas de « PP » – les lettres valant aussi bien pour Paule Poirier que pour poupoune – il ne fallait pas trop se fier aux apparences. La nouvelle prof ne se laissait pas impressionner. Un groupe de troisième secondaire l'avait mise au défi dès la première semaine en boycottant à grand bruit un devoir que le leader de la classe, Jonathan Tétreault, venait de déclarer « mauditement débile ». Paule Poirier avait tranquillement répliqué au jeune activiste qu'il avait peut-être raison et que, le cas échéant, elle en était fort désolée, mais la remise du devoir n'en était pas moins obligatoire. Quelque chose dans son ton, le débit de sa voix, son extraordinaire assurance, son calme inouï, et peut-être aussi dans son regard, empreint d'une bienveillance sans faille, avait amadoué le groupe d'élèves, un des plus redoutables de l'école.

— *Qu'est devenu mon cœur, navire déserté ? Hélas ! il a sombré dans l'abîme du Rêve !*

Paule Poirier referma le recueil de poésie de Nelligan en ajoutant simplement :

— Ne me demandez pas ce que nous dit ce poème, à quoi pensait le poète et ce qu'il pourrait évoquer. Le tout est déjà abondamment documenté. Quant à moi, j'ai lu ce poème mille fois et la seule chose dont je suis sûre, c'est que c'est un de mes préférés…

Sur ce, elle abandonna ses élèves à leurs réflexions pour fouiller dans le désordre de ses dossiers à la recherche d'un document. Gabriel en profita pour épier les adolescents autour de lui. Avaient-ils eux aussi ressenti le mal-être du jeune poète comme si c'était le leur ? Qu'en pensait Zachary Renaud, un passionné de hockey, de motoneige et de jeux électroniques, fort probablement très peu porté sur la *pouésie* ? Et Emmanuelle Bisson ? Les mots de Nelligan réussissaient-ils à troubler cette fille qui semblait toujours s'adapter parfaitement aux situations ? Comment recevait-elle ces cris du cœur ? Gabriel conclut que Nelligan ne devait guère l'émouvoir, car elle était déjà en intense conversation avec Julie Michaud, une de ses nombreuses acolytes.

— Nous allons constituer des groupes sur un mode aléatoire, annonça Paule Poirier.

— En français s'il vous plaît, clama Thierry Beaulieu à qui PP tendit aussitôt son exemplaire du *Petit Robert*.

— Vous trouverez aléatoire à la lettre A, lui glissa-t-elle avec un sourire malicieux.

L'enseignante prit une pile de travaux d'élèves rangés sans ordre précis et récita à haute voix le nom de chacun. Les trois premiers élèves nommés devaient former un groupe, les trois suivants un autre et ainsi de suite. «Fuck», pesta intérieurement Gabriel en entendant son nom suivi de ceux de Julie Michaud et d'Emmanuelle Bisson. Pendant que les élèves changeaient de place pour rejoindre leurs coéquipiers, Gabriel s'approcha sans hâte du duo infernal qui lui était assigné.

Emmanuelle Bisson le salua d'un mouvement de tête. Elle semblait embarrassée. Julie aussi. Les deux filles échangèrent un coup d'œil entendu, alors que Sébastien Francœur s'avançait vers elles.

— Ça te dérangerait de changer d'équipe avec Seb? demanda Emmanuelle d'une voix mielleuse.

Gabriel mit un moment à comprendre. Une brusque flambée de colère monta en lui. Il se sentait exactement comme le vilain petit canard du conte. En gros, Emmanuelle-la-princesse le priait gentiment d'aller se caser ailleurs. Elle préférait frayer avec d'autres de sa race comme Francœur, un fils à papa qui utilisait une des trois voitures familiales, le plus souvent une Audi, pour transporter son illustre personne à la poly.

— Pas de problème! N'importe quoi pour être loin des princesses chiantes, cracha Gabriel sur un ton de dépit avant d'aller rejoindre Léonie Jalbert et Maxime Dupré.

Pendant le reste du cours, les élèves durent délibérer à la manière d'un jury littéraire afin de décerner un prix de poésie fictif à l'un des quatre textes que leur avait soumis PP. Les poèmes, «choisis selon un mode alphabétique non aléatoire», précisa Paule Poirier avec un clin d'œil à Thierry Beaulieu, étaient signés Musset, Marot, Miron et Mallarmé. Gabriel les lut et discuta des forces et faiblesses de chacun avec Léonie et Maxime, mais pendant toute la durée de l'activité, il eut l'impression d'être assis à côté de lui-même. Un autre que lui prononçait ces mots, un autre que lui écoutait, répondait, notait. Le vrai Gabriel Veilleux était ailleurs, en marge, dépossédé de lui-même et obsédé par deux questions. « Qui suis-je ? Quelle est ma place dans cet univers ? »

◆

C'est en vidant les poches du jean de son fils avant de le déposer dans la laveuse que Claire avait trouvé un bout de papier chiffonné sur lequel il avait noté un numéro de téléphone. Elle allait le jeter dans la corbeille quand elle songea que Gabriel en aurait peut-être encore besoin. Alors elle le fourra à son tour dans sa poche. Elle entreprit ensuite d'épousseter les meubles du rez-de-chaussée puis elle éplucha des pommes de terre, beaucoup de pommes de terre, car elle avait l'intention de préparer trois pâtés chinois : un pour le souper, un à congeler et un autre qu'elle irait porter à Juliette et Gilbert Guimond, un vieux couple dont elle s'occupait dans le cadre du programme d'aide aux aînés de la municipalité.

Elle en était à faire cuire la viande lorsque germa soudain en elle l'envie de composer le numéro de téléphone qu'avait noté Gabriel. D'où lui venait cette impulsion soudaine dont elle était d'ailleurs peu fière, le respect de l'intimité d'autrui faisant partie des valeurs auxquelles elle croyait pourtant adhérer ? Claire poussa un long soupir où perçait le découragement. Gabriel n'était pas heureux. Et elle voulait savoir pourquoi. Cent fois au cours des derniers mois, elle avait tenté de lui soutirer des confidences. Aussi bien faire parler un pot de fleurs ou un lampadaire. Gabriel Veilleux, l'ange blond qui avait fait la joie de ses parents depuis sa naissance – ou presque, les deux premières semaines de sa vie ayant valeur de parenthèse –, s'était métamorphosé en adolescent ombrageux, souvent imprévisible, de toute évidence angoissé, et la plupart du temps retiré dans sa carapace. Elle avait besoin de savoir ce qui n'allait pas. Pour l'aider. Pour reprogrammer le cours de son existence.

Claire Allard devenue Veilleux avait occupé les seize dernières années de son existence à chérir, nourrir, dorloter, encadrer, stimuler, amuser, éduquer, instruire et guider ses deux enfants. Elle y avait mis le meilleur d'elle-même, tout son cœur, toute son intelligence, toute son énergie. Toute sa foi en la vie. Et jamais pendant toutes ces années n'avait-elle même imaginé que cet extraordinaire jardinage puisse produire autre chose que des plantes parfaites. Hautes, belles, droites, fortes et abondamment fleuries.

Elle essuya prestement ses mains sur son tablier, décrocha le combiné et composa le numéro.

— Service d'adoption, recherche d'antécédents biologiques, Hélène à l'appareil, comment puis-je vous aider ?

Claire Allard désormais Veilleux reposa doucement le combiné sur la console et éclata en sanglots.

Chapitre 9

Une pluie dense et drue mitraillait le pare-brise. Jean ralentit un peu, par prudence, mais peut-être aussi parce qu'il redoutait ce retour au lac. Depuis leur conversation absurde sur l'adoption, la veille, Marie-Lune et lui n'avaient pas encore échangé un mot. Il était rentré très tard après une longue soirée au bureau à mettre de l'ordre dans des dossiers, une tâche subitement devenue urgente alors même qu'il la remettait depuis des lustres. En y repensant, Jean se sentit un peu lâche d'avoir eu recours à ce subterfuge pour éviter toute discussion. À son retour, Marie-Lune était déjà couchée.

Quel gâchis, songea-t-il avec humeur. Et tout ça pour un chien d'à peine plus d'un kilo! Le visage de Jean se détendit et l'ombre d'un sourire apparut même sur ses lèvres alors qu'il songeait à la petite bête en question. Le projet de zoothérapie infantile lui grugeait énormément de temps et d'énergie, mais déjà deux des six enfants inscrits manifestaient des modifications de comportement intéressantes. Le petit Jacob surtout avait commencé à rire en jouant à un semblant de cache-cache avec Max, et l'équipe espérait que bientôt, peut-être, l'enfant confierait à son gros ami poilu un des secrets qui semblaient le ronger.

Avec ses coéquipiers, Jean avait jusqu'à présent intégré trois chiens, toujours de manière expérimentale: Max, un bon vieux golden retriever de dix ans, obèse et gourmand, mais sans malice et extraordinairement enjoué malgré son âge; Clio, un magnifique labernois adolescent, croisement d'un labrador noir de belle nature et d'un bouvier bernois de très noble lignée, un chien d'une bienveillance et d'une patience sans faille avec les enfants, et enfin Poucet, un yorkshire-terrier miniature de trois ans pesant un virgule sept kilos, une drôle de petite chose d'une vigueur ahurissante. Ce dernier leur avait été généreusement offert par un éleveur qui avait eu vent de leur entreprise et jurait qu'il n'existait pas de meilleur compagnon. Chantal et Sylvain, les deux jeunes pycologues qui travaillaient bénévolement au projet, avaient été rapidement conquis par la minuscule bête. Malheureusement, le chien souffrait des manipulations souvent brusques et compulsives des jeunes patients. Ils avaient donc récemment convenu de le retirer de l'expérimentation.

Jean s'était immédiatement proposé pour adopter Poucet. Longtemps auparavant, alors qu'il avait dix-sept ans et que Marie-Lune en avait quinze, il lui avait offert une femelle labrador qu'elle avait baptisée Jeanne. À l'époque, il était déjà secrètement amoureux de l'adolescente au tempérament fougueux dont le regard de ciel, intensément lumineux, se chargeait si soudainement d'orages. Mais le cœur de Marie-Lune appartenait encore à Antoine, le père de l'enfant qu'elle portait dans son ventre. Marie-Lune s'était profondément attachée à Jeanne, dont elle avait malheureusement dû se séparer lorsqu'elle avait quitté le lac pour étudier à Montréal. Elle avait cru l'animal entre bonnes mains, mais la pauvre chienne avait

été abandonnée à la SPCA où, vraisembla-
blement, on l'avait euthanasiée. Marie-Lune
l'avait appris des années plus tard et, depuis,
elle refusait de s'attacher à une autre bête.

Aux yeux de Jean pourtant, Poucet aurait
été le candidat parfait pour sortir Marie-
Lune de sa léthargie. C'était une petite bête
intelligente, enjouée, joyeusement imprévisible et délicieusement affectueuse. Ses
bouffonneries et ses lamentations pathé-
tiques pour obtenir un bout de fromage dé-
clenchaient l'hilarité. Chantal allait finalement hériter du petit chien. Elle promettait
de le réintégrer dans le projet un jour pour
venir en aide à un enfant qui serait sans
doute aussi perturbé mais moins impulsif
que ceux qu'ils soutenaient présentement.

Jean décéléra en apercevant le lac à demi
disparu dans un brouillard laiteux derrière
lequel émergeaient des sommets fantômes
aux contours délavés. Au lieu de tourner
immédiatement à droite après le dépanneur,
il poursuivit en direction du parc du mont
Tremblant et gara sa voiture au pied du
mont Éléphant. Il avait besoin de marcher
un peu avant de rentrer.

Dans un message qu'il avait laissé au
cours de l'avant-midi, Jean avait proposé à

Marie-Lune un souper de réconciliation en tête-à-tête. Il avait offert de prendre un plat chez le traiteur, mais elle ne l'avait pas rappelé, ce qui signifiait normalement qu'elle avait déjà prévu un menu. Avant de raccrocher, Jean avait voulu ajouter qu'il l'aimait et qu'il n'accepterait plus jamais de l'entendre parler de son horrible proposition. Pourtant, il ne l'avait pas fait. Était-ce parce que, dans quelque territoire reculé de son âme, il se sentait capable d'envisager une rupture? Jean prit le temps d'examiner l'hypothèse en avançant parmi les talus.

Non… Malgré tout… Il avait bien sûr ardemment rêvé d'un enfant. Mais jamais sans Marie-Lune. Et même s'il avait pu considérer l'adoption, il savait que pour Marie-Lune c'était hors de question. Alors il avait trouvé d'autres moyens de vivre un semblant de paternité. Avec le projet de zoothérapie, par exemple. Il avait d'ailleurs toujours caressé l'espoir d'y associer un jour Marie-Lune.

Il était tout à fait incapable d'imaginer une séparation et encore moins une autre partenaire. C'étaient là des divagations insensées imputables à la colère. Mais il se sentait de plus en plus las. Et vulnérable.

Quand Nathalie Gadouas, qui venait tout juste de quitter son deuxième mari, était venue lui faire des yeux doux à la clinique en prétextant un malaise de son gros chat persan, il avait joué l'indifférent sans l'être totalement. Son corps réagissait à la présence de cette femme aguichante. Malgré tout l'amour qu'il vouait à Marie-Lune, il avait de plus en plus de difficulté à nier sa sexualité.

Jean s'engagea sur le sentier éclairé par une lune blafarde. Comment avaient-ils fait pour en arriver là ? Comment tout cela avait-il commencé ? Il revit Marie-Lune telle qu'il l'avait trouvée quinze ans plus tôt après sa chute de cheval. Ce jour-là, il avait été bouleversé par son intensité, sa force vive, mais il avait aussi parfaitement saisi sa fragilité. Elle lui avait rappelé la grive blessée qu'il avait trouvée dans la forêt derrière la maison. À sept ans, il n'avait pas osé intervenir pour sauver l'oiseau, mais il n'avait jamais oublié sa poitrine palpitante et sa patte bizarrement repliée. En se penchant pour cueillir Marie-Lune, il lui avait murmuré : « Ça va aller. » Et c'était plus qu'une promesse : un engagement.

Ce même jour, il avait appris qu'elle était enceinte. Tout au long de cette absurde grossesse, elle lui était apparue comme une brave petite soldate, incroyablement courageuse et terriblement déterminée. Plus tard, il avait été séduit par sa sensualité, sa tendresse généreuse et par la fulgurance de son amour alors qu'elle acceptait enfin de marcher vers lui. Il avait tout de suite aimé sa vision étonnante du monde, à la fois enfantine et grave, sa fougue, sa brillance, son audace. Et comme si l'entreprise de séduction n'était pas suffisante, il avait été conquis par ses mots. Après une série de revers, au lieu de se laisser abattre, elle s'était armée de mots. Il avait lu le manuscrit de son roman en une nuit, soufflé par l'intensité du texte. Il y avait là toute la douleur du monde mais aussi tant d'espoir et une telle volonté de dépassement ! C'est peut-être ce qui l'avait impressionné le plus : son grand désir de déployer ses ailes.

Il avait atteint le premier point de vue. De là, il pouvait apercevoir leur maison. Jean décida qu'il était plus que temps de rentrer et il entreprit de rebrousser chemin. « J'aime Marie-Lune », songea-t-il en dévalant le sentier. Il l'aimait et il se sentait encore étroitement lié à elle. Mais il avait perdu un sentiment infiniment précieux : la foi en des jours meilleurs, l'espoir de retrouver la petite femme qu'il avait découverte quinze ans plus tôt.

✦

La maison semblait étrangement déserte. Une seule lumière brillait faiblement dans le salon. Jean referma doucement la porte derrière lui. Une vague angoisse lui noua la gorge à mesure qu'il avançait dans la maison trop silencieuse. Il découvrit Marie-Lune étendue sur la causeuse du salon, le regard vide fixé sur une reproduction de Modigliani. Elle serrait une vieille couverture roulée en boule contre son ventre, un peu comme une enfant cramponnée à sa doudou. Ses cheveux étaient en bataille et elle semblait toute menue et un peu perdue dans un survêtement trop grand. Un élan de pitié étreignit Jean, mais presque au même moment il se sentit accablé par un sentiment d'impuissance qui l'empêcha de s'épandre.

— Bonsoir, dit-il simplement.

Marie-Lune leva vers lui un regard morne.

— Bonsoir, répondit-elle. Je... Le souper... Je n'ai rien fait. Je n'ai pas très faim... Toi ?

Son visage était éteint, sa voix traînante et pâteuse. Jean découvrit une bouteille de scotch déjà bien entamée au pied de la causeuse. C'était la première fois qu'il voyait Marie-Lune boire ainsi, seule et apparemment pas pour célébrer. Il se pencha pour cueillir la bouteille, trouva le bouchon de plastique sur une table d'appoint et le vissa sans quitter Marie-Lune des yeux. Elle vida d'un trait, un peu crânement, le verre qu'elle tenait à la main puis laissa tomber :

— Je suis majeure et vaccinée, non ?

Jean s'arrêta devant le cabinet où il allait ranger la bouteille, les mâchoires serrées, le corps raide, le souffle suspendu. Il tenta de se ressaisir, inspira profondément, et soudain, comme mû par une décharge électrique, il tendit rudement la bouteille de Johnny Walker à Marie-Lune.

— Tu as raison. Tu es majeure et vaccinée. Et libre. Rien ne t'oblige à vivre malheureuse à mes côtés. Ce n'est pas du tout ce que j'avais espéré.

Tout au fond du brouillard bleu, une lueur d'inquiétude s'alluma dans les yeux de

Marie-Lune. Elle sembla faire de réels efforts pour mettre un peu d'ordre dans ce qu'elle venait d'entendre.

— Tu ne veux pas adopter un chien? Pas de problème, poursuivit Jean. Tu ne veux pas adopter un enfant? Pas de problème non plus. Tu veux un enfant à toi, un enfant de ton sang, qui sort de ton ventre à toi? C'est parfait. Il y a plein d'hommes qui ne demanderaient pas mieux que de t'aimer et de te faire un bébé. Et tu sais très bien qu'il y a de sacrées bonnes chances pour que ça marche. Tu as déjà prouvé que tu pouvais concevoir un enfant. Alors si ton bonheur passe obligatoirement par la maternité, vas-y, Marie-Lune. Essaie avec un autre. C'est moi qui te rends ta liberté. Parce que ça me fait trop mal de te voir gaspiller ta vie à mes côtés.

Son discours, Jean l'avait adressé au lac endormi parce qu'il ne se sentait pas la force de prononcer ces paroles en contemplant la femme qu'il aimait. Il laissa alors son regard dériver lentement vers Marie-Lune, et l'effarement qu'il y lut l'émut profondément. Elle n'avait sans doute encore jamais même songé à cette solution qu'il lui proposait. C'était inscrit dans son regard angoissé, son visage défait, ce pli entre les sourcils comme l'aveu d'une incompréhension profonde. Il avait déjà envie d'atténuer son propos, mais une voix secrète lui soufflait de tenir bon, d'aller jusqu'au bout.

Marie-Lune s'étira le cou en roulant la tête dans tous les sens, une opération qui la fit grimacer de douleur. On aurait dit qu'elle émergeait difficilement d'un mauvais songe. Elle promena autour d'elle un regard consterné, ouvrit la bouche, comme pour parler, mais la referma aussitôt en poussant un long soupir de découragement. Et puis soudain, les mots jaillirent :

— Le téléphone a sonné, se mit-elle à raconter d'une voix saccadée parce que chaque mot représentait un effort. À dix heures… Environ… Je pensais que c'était toi. J'ai sans doute dit bonjour. Je ne me souviens plus. À l'autre bout du fil, il y avait cette voix. Un jeune homme. Non. Un adolescent. Oui. Sûrement. Une voix jeune et plutôt gaie. Affirmée aussi. Pleine de promesses. Il a dit : « Bonjour, c'est Mathieu. » Après, plus rien. Pendant ces quelques secondes, la terre a tremblé sous mes pieds. Et puis le ciel s'est ouvert tout grand. C'est fou, hein ? Et puis soudain tout s'est refermé. D'un coup. C'était… terrible.

« Il a demandé à parler à Julie. Ou peut-être Sophie. J'oublie. Je me suis quand même accrochée à un tout petit espoir. J'ai dit : « Vous êtes chez Marie-Lune Dumoulin-Marchand et Jean Lachapelle. » J'aurais voulu ajouter que nous attendions justement un appel très important d'un adolescent de seize ans qui s'appelle peut-être Mathieu, mais je n'ai pas osé. Il a marmonné des excuses et il a raccroché. Ce n'était pas LUI. Comprends-tu ? J'avais imaginé… mais ce n'était pas lui. »

Jean s'entendit répéter lentement, à haute voix, « Non, ce n'était pas lui », parce qu'il sentait qu'elle avait besoin de son aide pour étouffer les derniers soubresauts d'espoir. Marie-Lune pleurait à chaudes larmes maintenant. Cela avait commencé par de brefs sanglots, comme des hoquets, qu'elle avait vaillamment tenté de réprimer, mais la bataille était bien trop inégale. Alors la digue avait sauté. Et maintenant, c'était le déluge.

Jean observait la scène. Figé. Il avait terriblement envie de l'envelopper dans ses bras, de la serrer très fort, d'écraser les larmes sur ses joues et de la bercer en caressant ses cheveux jusqu'à ce que la tempête s'apaise, mais la petite voix qui le guidait depuis un moment lui dictait de ne pas bouger. Marie-Lune devait affronter seule ses fantômes. Il attendit qu'elle ne soit plus secouée par des sanglots avant de parler à nouveau.

— Je t'aime, Marie-Lune, dit-il alors. Et je crois bien que j'arrêterai seulement quand mes poumons cesseront de pomper de l'air. Je t'aime trop pour te laisser t'éteindre. La fille qui m'a harponné le cœur il y a plus de quinze ans déjà n'est pas de la race de celles qui se laissent abattre. C'est une combattante de la pire et de la plus merveilleuse espèce. Rien ni personne ne lui résiste. Réveille-toi, Marie-Lune! Sors de ton engourdissement, bon sang!

Elle hochait la tête, l'air d'acquiescer. Mais sans conviction. Une grande lassitude envahit Jean. Il avait l'impression d'assister à une lente noyade. Et pourtant, celle qui se laissait engloutir, là, devant lui, juste sous son nez, sans qu'il puisse rien changer, savait parfaitement nager.

Marie-Lune avait reporté toute son attention sur la reproduction de Modigliani. Elle semblait à nouveau hors d'atteinte. Une scène s'imposa soudain à Jean. Il se revit, quelques jours plus tôt, penché au-dessus d'un chevreuil rescapé d'une collision. L'animal respirait péniblement et puis tout à coup, son cœur avait cessé de battre. Jean s'était jeté sur la bête et à deux mains, avec cette fabuleuse énergie qu'insufflent les situations d'urgence, il avait pressé et massé furieusement le cœur de l'animal jusqu'à ce qu'il se remette à battre. Jusqu'à ce qu'il manque lui-même de se faire assommer par une de ses grandes pattes. Jamais il n'aurait songé à caresser ou à consoler l'animal. Il fallait le secouer, réveiller ses organes, fouetter son sang, l'arracher au néant.

Alors, peu à peu, Jean sentit sa lassitude se muer en colère. Une fureur âcre qui fusait dans ses veines, irriguant tous ses membres.

— Si je ne pèse pas assez lourd dans ta vie pour que tu aies envie de te secouer, laisse-moi, Marie-Lune. Mais bouge, bon sang ! T'as juste une vie à vivre. Si tu la gaspilles, c'est fini. Et là, franchement, tu es bien partie pour ça.

Il s'arrêta, le temps de reprendre son souffle et de remarquer qu'elle le fixait, lui, maintenant. Alors, encouragé, il poursuivit :

— C'est quand même fou d'imaginer qu'il y a juste la maternité pour donner un sens à ta vie. Non ? Crois-tu sincèrement que tu es venue au monde juste pour ça ? qu'il n'y a aucun autre programme possible ? que c'est ta seule et unique fonction ? Et que sinon tout est fini, fichu, raté, gaspillé ? Allez ! Cherche un peu, Marie-Lune Dumoulin-Marchand, fouille en toi et puis regarde-moi dans les yeux et dis-moi qu'il n'y a rien d'autre qui t'anime. Que tout s'arrête là. Tu sais bien que c'est impossible. Alors cesse de t'apitoyer sur ta petite personne et bouge, avance, fonce, fais quelque chose.

L'eau bleue tremblotait timidement. Il avait réussi à rallumer son regard. La balle était désormais dans son camp. C'était à elle de décider. Jean sortit pour faire quelques pas dans la nuit.

Dehors, il aspira l'air frais à grandes goulées. Le ciel était de cendre, sans lune et totalement déserté par les étoiles. L'obscurité était telle qu'il aurait eu besoin d'une lampe frontale pour avancer sur le chemin Tour du lac. Jean ferma les yeux puis les rouvrit. Partout la même opacité. En lui comme hors de lui. Pendant un moment il eut peur d'être englouti par la nuit.

◆

Le bruit d'une porte qui se referme puis le grondement d'un moteur qui démarre. Il devait être au moins huit heures du matin. Jean venait de quitter la maison pour aller à la clinique. Marie-Lune rejeta les couvertures, s'extirpa péniblement du lit et fit quelques pas jusqu'à la salle de bain où elle s'aspergea longuement la figure d'eau fraîche. Puis elle se força à accomplir une série de mouvements d'étirement pour redonner un minimum de flexibilité à son corps en prenant soin de ne rien brusquer, de crainte que la bouillie qui lui tenait lieu de cervelle ne se liquéfie.

Elle descendit lentement l'escalier menant au rez-de-chaussée en gardant une main sur la rampe, atteignit la cuisine avec un air de miraculée et se prépara de toute urgence un café de survie : eau réchauffée au micro-ondes et poudre instantanée. Ni sucre ni lait. Elle le but lentement, à petites gorgées. Jusqu'à la dernière goutte. Puis elle se rendit à son bureau, fouilla dans un carnet professionnel et composa un numéro.

L'appel tombait pile. Denis Labelle était rentré au travail tôt ce matin-là pour éplucher le bottin de l'Union des écrivains.

Il venait tout juste de terminer une conversation plutôt pénible avec le quatrième choix sur sa liste, un écrivain réputé, très apprécié du grand public et enchanté par la perspective de parrainer le concours Lettre à mon écrivain. L'affaire s'était malheureusement gâtée à la mention des rencontres scolaires. Le romancier quinquagénaire avait vécu l'expérience une seule fois, dix ans plus tôt, et il ne s'en était pas encore tout à fait remis. Au lieu de s'enquérir de la genèse de son écriture, les élèves lui avaient posé un tas de questions impertinentes sur sa vie personnelle en s'intéressant tout particulièrement aux revenus que lui rapportait son métier. Dépité, l'honorable membre de l'Académie des lettres avait d'abord esquivé les questions pour finalement se fâcher et leur faire la leçon en soulignant qu'à leur âge il savait déjà discourir sur la littérature. Les élèves n'avaient guère apprécié, le ton avait monté et, au bout d'un moment, l'honorable membre vexé avait quitté les lieux en se jurant de ne plus jamais remettre les pieds dans une école secondaire.

— Des abrutis ! avait-il résumé. Les parents oublient de les éduquer et les enseignants ne font guère mieux.

Denis Labelle n'avait même pas tenté d'amadouer son interlocuteur en faisant valoir que cette fois il aurait rencontré des jeunes motivés par un enseignant qui les avait incités à écrire une lettre à un écrivain de leur choix et que le but de cette tournée était justement de sensibiliser les jeunes au métier d'écrivain, de leur faire découvrir un monde autre que celui de la consommation et du gain : la création. Le recherchiste accepta poliment le refus de l'écrivain avec juste assez de gentillesse pour ne pas verser dans l'hypocrisie. Le cas était clair, net, tranché : il aimait trop les adolescents pour leur infliger pareil personnage.

Et voilà que Marie-Lune Dumoulin-Marchand revenait miraculeusement à la charge en baragouinant des excuses. Le jeune recherchiste, qui savait tirer au tarot et établir des cartes du ciel, diagnostiqua aussitôt une personnalité de gémeau – à tort : elle était sagittaire ! –, toujours tiraillée entre deux pôles. Il décida donc d'agir vite. Cinq minutes après avoir accepté d'être marraine du concours et de se livrer en pâture à des classes d'adolescents, Marie-Lune reçut par télécopieur un contrat à signer et à renvoyer immédiatement, une tâche dont elle s'acquitta promptement.

Pour célébrer ce premier pas, elle se prépara un cappuccino mousseux et du pain grillé tartiné de confiture à l'orange puis elle s'installa dans son fauteuil préféré face au lac qui frissonnait sous les vents crus d'automne.

À cinq heures quinze ce matin-là, alors que Jean dormait encore profondément à ses côtés, malgré les chapes de brouillard qui lui enveloppaient la cervelle et les nausées qui lui soulevaient l'estomac, Marie-Lune Dumoulin-Marchand avait pris une décision. Quelque part en elle, un clapet de sécurité avait cédé, et elle avait compris que Jean avait raison. Elle devait absolument sortir des remparts. Oser avancer. Seule ou avec Jean. Malgré la peur, la douleur, la noirceur. Et même sans savoir où ces explorations la mèneraient.

Le café tiédit dans sa main et le pain resta intact dans l'assiette. Épuisée par ces efforts, Marie-Lune tomba endormie dans les bras du fauteuil alors même qu'elle tentait de ramasser, au fond de sa mémoire, les bribes éparses du discours de Jean.

Chapitre 10

Gabriel poussa un soupir d'agacement en reconnaissant le générique de fermeture d'*Éliza la petite fée*. L'émission était terminée. Christine allait se manifester d'un instant à l'autre pour lui demander de jouer à Clue ou à Fais-moi un dessin. Il avait accepté – avait-il vraiment le choix ? – de garder sa sœur pendant que ses parents soupaient en amoureux – depuis quand ? et pour célébrer quoi ?! – à Saint-Sauveur et Gabriel savait déjà que dans la petite tête de huit ans de Christine Veilleux, les gardiens ont été inventés exprès pour jouer à des jeux de société.

Le hic, c'est qu'il n'en avait pas envie. Comme il n'avait pas du tout, mais *vraiment* pas du tout envie de rédiger ce devoir de français qui valait trente pour cent de la note de l'étape. Il commençait à en avoir plein les chaussettes des consignes de PP, aussi originales fussent-elles. La veille, elle les avait entretenus sur l'importance des chiffres symboliques dans la littérature traditionnelle comme dans l'histoire de l'humanité. Le chiffre sept, par exemple, renvoyait aussi bien aux sept péchés capitaux qu'aux sept nains de *Blanche-Neige* ou aux sept chèvres d'un autre conte. Tout ça pour annoncer un devoir pénible ayant pour titre « Sept secrets sur soi ». Une allitération, avait précisé PP.

Gabriel avait été surpris qu'aucun élève ne souligne l'effronterie de cette consigne. Pourquoi diable confierait-il à une feuille de papier destinée à être lue par un prof qu'il n'avait encore jamais vu deux mois plus tôt « sept vérités essentielles » sur lui-même ? Des « vérités profondes et incontestables », avait ajouté PP. Il ouvrit néanmoins un nouveau fichier dans son ordinateur, tapa sans conviction le titre de la rédaction, poussa un soupir à faire trembler les murs et inscrivit timidement le chiffre « 1 » suivi d'un espace. Après, plus rien. Alors il se replia sur son rôle de gardien et décida d'aller vérifier ce que faisait sœurette.

Il trouva Christine installée à la table de cuisine devant une boîte à chaussures joliment décorée qu'elle avait entrepris de vider. Elle manipulait chacun des objets avec d'infinies précautions, les inspectant délicatement avec une affection évidente avant de les disposer sur la table. Gabriel s'approcha, curieux, alors qu'elle retirait de la boîte une paire de minuscules chaussettes de laine grise qui semblaient destinées à des pieds de poupée. Il avait cru que Christine, trop absorbée, ne l'avait pas entendu approcher, mais elle le surprit en annonçant d'un ton très cérémonieux, sans toutefois quitter les chaussettes des yeux :

— Ça, c'était à moi quand j'étais le plus petit bébé. À l'orphelinat.

Elle tendit la main vers une photo et ajouta :

— Ça, c'est moi. Quand j'attendais.

— Quand tu attendais… quoi ?

— Quand j'attendais qu'on me choisisse, répondit-elle du ton de celle qui trouve son frère un peu bête d'avoir à poser la question.

Gabriel avait l'impression de pénétrer dans une pièce secrète où il n'était pas sûr de pouvoir et peut-être même de vouloir être admis. Une pièce remplie d'objets délicats, en verre très fin, qu'il n'aurait pas su manipuler. Il avait reconnu la « boîte à trésors » de Christine, une invention de Claire pour réunir en un même lieu les quelques objets témoignant des racines culturelles chinoises de sa fille. Depuis l'arrivée de Christine, Claire avait lu un nombre incalculable d'ouvrages sur l'adoption internationale, la culture chinoise, les défis de l'identité multiculturelle et autres sujets affiliés.

— Les bébés chanceux sont choisis, poursuivit Christine. Les autres meurent. C'est Anne-Sophie qui l'a dit.

— Anne-Sophie a dit ça ? reprit Gabriel, surpris, d'une voix adoucie.

Christine hocha la tête très sérieusement en gardant son regard de chocolat fondant vissé dans celui de son grand frère. Gabriel fut surpris d'y découvrir une inquiétude nouvelle et une gravité qu'il n'y avait jamais lue.

— Anne-Sophie dit aussi que les parents des enfants chanceux peuvent changer d'idée. Alors, ils retournent leur fille à l'orphelinat et ils en choisissent une autre. Comme quand maman a échangé la cafetière neuve l'autre jour parce que le café ne coulait pas bien.

Un milliard de questions semblaient s'agiter dans cette petite cervelle. Gabriel en était encore à se demander s'il devait simplement se taire et écouter ou tenter d'offrir quelques réponses à ces interrogations muettes qu'il devinait oppressantes. Christine lui facilita la tâche en éclatant en sanglots. Alors il s'approcha, l'entoura d'un bras et la serra contre lui. Les pleurs redoublèrent. Il n'aurait jamais deviné que ce corps si menu pût contenir autant de larmes. Il souleva sa sœur et la porta dans ses bras jusqu'au salon, où il l'installa contre lui sur une causeuse et la laissa pleurer tout son saoul pendant qu'il caressait son dos.

L'averse fut violente mais de courte durée. Christine se mit bientôt à renifler bruyamment. Elle courut chercher des papiers-mouchoirs et revint se blottir contre Gabriel. Alors, ils parlèrent. Gabriel découvrit que lors du fameux week-end de retrouvailles qui venait tout juste d'avoir lieu, une certaine Anne-Sophie avait fortement ébranlé Christine en semant l'idée que l'adoption était un processus en tout temps réversible.

Les fondements mêmes de l'univers de Christine s'étaient alors écroulés. Gabriel avait toujours cru que la vie de sa petite sœur n'était guère différente de celle de Winnie l'Ourson, son héros préféré pendant de longues années, dont le pire drame consistait à manquer parfois un peu de miel. Or voilà que les révélations de cette Anne-Sophie projetaient Christine dans un univers de monstres inquiétants et de fantômes redoutables.

Il s'entendit expliquer à sa sœur que jamais Claire ni François ne pourraient même songer à se séparer d'elle. Qu'ils l'aimaient autant qu'un parent puisse aimer et que cette Anne-Sophie était une idiote qui méritait d'être pendue par les poils du nez pour dire de telles insanités. L'idée de cette pendaison excentrique arracha quelques gloussements à Christine. Gabriel en profita pour inventer d'autres supplices plus extravagants que méchants – pourquoi pas un pouding à la Anne-Sophie ou une brochette, tiens… – si bien que Christine finit par rigoler franchement. Et puis soudain, elle demanda :

— Toi, Gabriel, tu les connais, tes autres parents ?

Gabriel rougit comme s'il avait été surpris en flagrant délit. Puis il contempla l'idée de se confier à sa sœur, de lui raconter la démarche qu'il avait entreprise, de vider un peu son sac pour qu'il soit moins lourd à porter. Il se ravisa rapidement mais décida finalement d'oser quand même, juste un peu, partager avec Christine l'histoire que Claire lui avait racontée.

— Ma mère était trop jeune pour me garder... commença-t-il.

— Elle avait quel âge ? demanda Christine.

— Je ne sais pas, admit-il.

— Et ton père ?

— Il était sûrement trop jeune, lui aussi. Ils étaient amoureux, alors ils devaient avoir à peu près le même âge. Forcément... Enfin ! Ils auraient pu se débarrasser de moi bien avant.

— Aller à l'avortement ?

Surpris, Gabriel scruta le visage de sa sœur. Ce mot sonnait bien étrangement dans sa bouche. Mais en même temps, il y avait tant de candeur dans sa question qu'il eut soudain l'impression de mieux apprivoiser la chose.

— On ne dit pas « aller » mais bon, oui, c'est ça. Au lieu de ça, ma mère m'a gardé dans son ventre, expliqua-t-il.

— Combien de temps ?

— Neuf mois… j'imagine… répondit-il sur un ton où commençait à percer l'exaspération.

— Tu trouves que je pose trop de questions, hein ? dit Christine avec une moue coupable.

Pour toute réponse, Gabriel lui ébouriffa affectueusement les cheveux et Christine eut un geste comme si elle fermait sa bouche avec une glissière et ne l'ouvrait plus jamais.

— C'était son cadeau. Le cadeau de ma mère biologique… À moi et à Claire et à François. Elle m'a gardé dans son ventre jusqu'à la naissance et après, elle m'a confié à mes nouveaux parents.

Christine faillit rompre sa promesse avec une question qui lui brûlait les lèvres. Gabriel la devança.

— Je ne sais pas où ils sont maintenant. Je ne connais pas leur nom, je ne sais pas à quoi ils ressemblent, je n'ai aucune idée d'où ils habitent. Mais parfois, je les imagine tout près. Je me dis même qu'on se croise peut-être tous les jours, sans le savoir. Souvent, même si c'est stupide... j'ai imaginé toutes sortes de scénarios. Mon père était un agent très important des services secrets et il avait obligé ma mère à me confier à Claire et à François parce que sinon les ennemis m'auraient pris en otage et torturé. Ils avaient renoncé à moi pour me sauver la vie. Ou bien... c'est encore plus fou ! mon père était le roi d'un immense pays très riche et très puissant mais ravagé par la guerre. J'étais l'héritier du trône et un jour, quand la paix serait revenue, il reviendrait me chercher pour me préparer à le remplacer.

Les yeux ronds, la bouche entrouverte, Christine écoutait, fascinée. Et puis soudain, elle demanda, paniquée :

— Et tu nous quitterais pour toujours ? pour aller là-bas sur ton trône ?

— Mais non, espèce de petite cornichonne. C'étaient juste des histoires que je m'inventais quand j'étais un minus de ton âge. Quand j'étais rien qu'un vulgaire mollusque de huit ans.

Christine gloussa de plaisir en reconnaissant un vieux code qu'ils avaient délaissé depuis trop longtemps. La règle était aussi simple que logique et éminemment jouissive : l'insulte justifiait l'attaque. Elle se rua sur son grand frère en le martelant de ses petits poings avec une rage feinte et empreinte de retenue, comme si elle eût réellement craint de le blesser. Alors, faisant mine d'être en très mauvaise posture, Gabriel entreprit de se défendre avec des gestes de grand géant offensé, soulevant sa sœur de terre pour la maintenir bien haut dans les airs à bout de bras à la manière de King Kong dans la plus célèbre scène du film.

Après de longues minutes de lutte sans merci, ils se découvrirent affamés. Claire avait préparé une moussaka végétarienne, des brocolis gratinés et un pouding aux petits fruits, mais Gabriel décida qu'en sa qualité de gardien, il était tout à fait habilité à modifier le menu. Ils convinrent d'un macaroni Kraft version classique avec des bouts de saucisse fumée et, pour dessert, une virée au dépanneur d'où ils rapportèrent les deux plus grosses barres de chocolat qu'ils avaient pu dénicher dans les rayons avec, en plus, deux sachets de friandises, des oursons en gelée pour Christine et des pipes en réglisse pour Gabriel.

L'adolescent calcula rapidement que cette dépense venait de lui coûter le tiers de son salaire de gardien, mais la joie de Christine valait bien davantage. Elle était redevenue la fillette ensoleillée qu'il avait toujours connue. Et jamais Gabriel n'avait autant apprécié sa gaieté. Sans doute parce qu'il savait maintenant qu'elle n'appartenait pas seulement au monde trop choyé, facile et gentil de Winnie l'Ourson. Elle était aussi sa petite compagne d'infortune, sa vraie sœur, d'âme et de cœur sinon de sang.

Comme pour éprouver sa théorie, Gabriel entreprit de lui raconter *Le Vilain Petit Canard* après l'avoir mise au lit. Il avait hâte de voir si elle s'identifiait, comme lui, à ce canard trop différent, occupé à trouver sa place dans l'univers. Mais Gabriel ne sut jamais l'impact du conte d'Andersen sur Christine, car elle s'endormit avant même que l'œuf du vilain petit canard fût éclos.

Alors Gabriel retourna dans sa chambre et il écrivit à côté du chiffre « 1 » dans le document qu'il venait de créer à l'intention de PP :

1. Je sais que je n'ai vraiment pas envie d'écrire ce texte et que je vous trouve un peu effrontée, chère madame Poirier, de

forcer ainsi vos élèves à d'aussi graves confidences. Les gens (et il me semble qu'à seize ans on fait déjà partie de cette race, non?) devraient avoir le droit de protéger leur espace intime sans qu'on vienne les déranger, vous ne pensez pas? À seize ans, on a droit à un minimum d'intimité. Mais, en même temps, j'ai un peu envie de le faire, votre devoir, parce que ça s'adonne que je viens de me lancer dans une grande quête d'identité. Eh oui! C'est pas très original à mon âge, vous direz, mais c'est comme ça. Moi, je suis original autrement. Secrètement. Bon, voilà pour le début, mais bien sûr, je sais aussi que cette première vérité ne compte pas. Alors qu'est-ce que je sais d'essentiel sur moi? Je sais que j'ai échoué le tout premier test de ma vie (alors ne soyez pas étonnée, chère madame, si j'échoue aussi mon examen de fin d'étape), un test que l'immense majorité des enfants passent haut la main et qui consiste tout bêtement à séduire leurs parents. À ma naissance, mes parents m'ont donné à d'autres parents. Comme ça, gratuitement. Ma mère adoptive, qui vit depuis toujours je crois dans un univers où tout-le-monde-il-est-gentil, aime raconter que mes parents de sang m'ont amoureusement confié à eux, mes parents adoptifs. C'est une jolie histoire, mais qui ne tient pas la route. Mes parents biologiques m'ont abandonné, alors même qu'ils auraient dû craquer pour moi. C'est plutôt ça, la vérité. J'étais une toute petite chose, bien vivante, seule au monde, sans méchanceté, sans défense. Je ne suis pas si laid aujourd'hui, alors sans doute que je n'étais pas repoussant à la naissance. Bon, j'étais peut-être un peu bouffi ou couvert de boutons, ça arrive souvent paraît-il, mais est-ce bien grave ? Ce qui est sûr, c'est que dans mon cas, l'entreprise de séduction naturelle n'a pas fonctionné. Mes parents m'ont vu naître, ils m'ont regardé, peut-être même qu'ils m'ont pris pendant un petit moment dans leurs bras et puis hop ! ils m'ont donné et ils sont disparus. C'est, je crois, ma toute première vérité. Celle qui me définit le mieux aujourd'hui. Je veux bien me creuser la cervelle pour vous trouver six autres vérités, parce que sept est un chiffre un peu magique comme vous dites, comme trois et dix aussi, mais mon chiffre à moi, c'est *un*. *Un* comme cette première vérité. *Un* comme quand on est seul. Isolé. À part. *Un* comme ce chiffre qui a bien peu de pouvoir puisqu'il ne multiplie rien.

Je sais aussi (mais vous verrez que ça ne compte pas pour une autre vérité) que ma sœur Christine a été adoptée, comme moi, mais elle est née en Chine, un pays où les parents sont obligés d'abandonner leur deuxième enfant, surtout si c'est une fille. Alors sa vérité et la mienne, entendons-nous, c'est quand même deux.

2. Je sais aussi (puisqu'il faut remplir les chiffres et les espaces comme vous l'avez exigé) que présentement je n'ai pas beaucoup d'énergie à investir dans mes travaux scolaires et mes examens (eh oui ! j'en profite pour vous livrer un petit message pas très subliminal) parce que j'ai d'autres chats plus importants à fouetter. J'ai décidé de trouver qui je suis et pour ça j'ai besoin, entre autres, de savoir qui sont mes parents de sang. Parce qu'avec le petit peu que je sais, ils pourraient aussi bien être des Martiens. J'ai décidé de trouver d'où je viens parce que j'en ai besoin pour avancer. Pour savoir où aller. Pour que ma vie ait du sens. Pour trouver ma place dans l'univers. C'est quand même pas évident quand on y pense. Mettez-vous à ma place deux secondes. J'ai seize ans, je suis en cinquième secondaire, je devrais déjà savoir dans quel cégep je veux

m'inscrire et quel métier j'ai choisi, mais vous comprendrez que c'est un peu fou de s'attacher à ces détails quand on ne sait même pas qui on est et d'où on vient.

Il paraît qu'à la naissance on est tous imprégnés. Demandez à Joffe, le prof de bio. Dans mon cas, la personne la plus signifiante durant mes premières heures de vie, c'était peut-être l'infirmière de la pouponnière que je ne connaîtrai jamais. Et puis, qui sait, j'ai peut-être été imprégné par un barreau de lit! Mais je suis quand même venu au monde avec un bagage génétique, des chromosomes, de l'ADN et je ne sais trop quoi, venu de deux personnes. Sauf que je ne sais rien de ces deux personnes. Alors j'ai décidé…

Gabriel s'arrêta, effaça les derniers mots. Il n'allait quand même pas donner plus de détails à PP. Il réfléchit un moment puis tapa:

3. On dit souvent «jamais deux sans trois», mais pas cette fois. Mon devoir finit ici. J'en ai déjà bien assez dit. Et de toute façon, il n'y a vraiment rien d'autre que je sais de manière sûre, nette et claire sur moi. Alors collez-moi la note que vous voulez parce que j'ai des affaires plus importantes à régler. Voilà!

◆

Ils avaient bu jusqu'à la dernière goutte le demi-litre de rouge maison et François avait proposé d'en commander un autre – «juste un peu de folie, c'est sûrement bon pour la santé», avait-il suggéré –, mais Claire avait gentiment refusé. Alors, parce qu'ils avaient fini d'avaler tout ce qui était inscrit à la table d'hôte du soir – mesclun au vinaigre de framboise, poulet à l'orange et salade de fruits pour Claire, escargots à l'ail, porc en croûte et gâteau fondant au chocolat pour François – et que des plages de silence de plus en plus longues succédaient à leurs brefs échanges, François avait cru bon de réclamer l'addition.

Malgré sa lourde journée de travail, les vendredis étant toujours particulièrement pénibles à l'usine, François avait lui-même insisté pour qu'ils s'accordent cette petite sortie. Depuis quelques jours, Claire était nerveuse, impatiente et d'humeur maussade, ce qui lui ressemblait bien peu. François s'en inquiétait et il n'arrivait pas à comprendre ce qui pouvait la miner. Il savait, bien sûr, que Claire était malheureuse de voir Gabriel s'enfermer dans une forteresse comme s'ils étaient ses ennemis. Mais au cours des derniers jours, il n'avait pas remarqué de détérioration notable dans le comportement de leur fils. Alors François, qui souffrait d'une forte propension à la culpabilité, avait songé que Claire en avait peut-être assez de la vie qu'ils menaient depuis l'accident de travail qui, en quelques secondes, avait modifié à jamais le cours de leur existence. Claire ne s'était jamais plainte. Pas même une fois, pendant toutes ces années. Au contraire ! Elle avait partagé avec son entourage – avec son mari et ses enfants surtout, qui étaient le pôle de sa vie – ce don du bonheur qui la caractérisait si bien. Mais peut-être qu'à la longue cette source intérieure de joie s'était tarie ? Peut-être Claire en était-elle venue à regretter trop amèrement l'érablière et tous leurs autres rêves ?

Une jeune serveuse, fille d'un collègue de l'usine qui travaillait à l'assemblage, déposa l'addition sur la table avec quelques menthes chocolatées. François allait prendre son portefeuille dans la poche intérieure de sa veste lorsque Claire commença à parler. Elle avait trouvé un numéro de téléphone sur un morceau de papier chiffonné dans la poche du jean de Gabriel. Elle avait composé le numéro. Quelqu'un avait répondu dans un Centre jeunesse, service d'adoption, département des recherches d'antécédents biologiques.

Claire avait adopté le ton de celle qui annonce une catastrophe sans nom. François ressentit un pincement en apprenant que Gabriel avait déjà amorcé ou allait peut-être entreprendre des démarches pour connaître ses autres parents.

— Il fallait s'y attendre, non ? dit-il doucement en caressant la main de sa femme.

— C'est tout ce que ça te fait ? lança Claire d'une voix que l'indignation faisait trembler.

François prit le temps de réfléchir.

— Je ne suis pas insensible… Même que ça va me chercher, comme on dit. Mais, en même temps, c'est peut-être sain. Tu ne penses pas ? C'est normal qu'il veuille savoir, non ? J'ai toujours pensé qu'on devrait lui en dire un peu plus, tu le sais, on en a souvent discuté. Et j'ai toujours été très étonné que Marie-Lune ne se soit pas déjà manifestée. Elle sait comment nous joindre pourtant.

François avait parlé en faisant rouler dans sa paume le stylo que lui avait laissé la jeune serveuse pour régler la facture, un signe chez lui d'intense concentration. Il s'arrêta, détacha son regard de l'objet et leva les yeux vers Claire. Il n'attendait pas une réponse, il cherchait simplement à vérifier le contact. Claire déglutit et parvint à soutenir son regard sans sourciller.

— J'ai toujours pensé qu'elle voudrait au moins avoir des nouvelles de Gabriel, s'assurer qu'il allait bien. Son silence me choque un peu, franchement. J'ai même eu envie de communiquer avec elle quelquefois. Pour vérifier. Elle a pu tomber malade ou avoir eu un accident…

Claire continuait d'écouter. Elle devait faire appel à toute sa volonté et à toute sa concentration pour ne pas se trahir. Pour ne pas avouer. Elle savait qu'elle avait eu raison de ne pas accéder à la requête de Marie-Lune, mais c'était un lourd poids à porter. Et François qui s'inquiétait de sa santé ! La maman de Gabriel était bien vivante. À preuve, on avait parlé d'elle à la radio la veille. Elle était marraine d'un concours. Un truc pour adolescents !

— Non, vraiment, plus j'y pense, plus je crois que nous devrions soutenir Gabriel dans cette démarche, lui venir en aide au lieu de nous en offusquer, poursuivait François.

Depuis le début du discours de François, Claire avait réussi à maîtriser son agitation. Mais ces dernières paroles attisaient en elle un tout autre sentiment : la révolte. Elle s'était mise à tordre sa serviette de papier avec tellement d'acharnement que la serviette se déchira soudain. François la contempla, surpris.

— C'est facile pour toi de suggérer ça, lança-t-elle. Tu n'as pas de compétition, toi.

Devant l'air ahuri de François, Claire se résigna à préciser.

— Le père biologique de Gabriel est décédé, alors ces recherches, ce n'est pas trop insécurisant pour toi. Mais moi…

Sa voix s'était cassée sur les deux derniers mots. Il y avait une telle détresse dans le regard de Claire. François comprit alors que tout le drame des derniers jours tenait dans ces mots.

— Mon fils, notre fils… veut connaître ses parents… Ses autres parents… S'il se rend au bout de l'enquête, il va découvrir qu'il n'a plus qu'un seul père : toi. L'autre est disparu à jamais. Mais il va apprendre qu'il a une autre mère que moi. Qu'elle est vivante, disponible, en attente même. Enfin, peut-être… Je ne sais pas… Cette femme-là est plus jeune que moi, plus belle que moi, plus proche des adolescents que moi. C'est même un peu une vedette au fond. Elle a écrit un roman que les jeunes ont adoré. Tu ne te souviens pas de la critique dans *La Presse* ? « Une écrivaine qui a le rare talent de rallier adultes et adolescents. » Je peux te le réciter par cœur, cet article-là !

Elle se souvenait également très bien du roman lui-même parce que cette lecture l'avait profondément troublée. Marie-Lune avait raconté sa propre histoire en la modifiant considérablement, mais le roman se lisait quand même comme un chant d'amour à son moustique. Qui était maintenant leur fils. Claire se réjouissait des déguisements de Marie-Lune. Le roman racontait l'histoire d'une jeune femme qui, après avoir enterré sa mère, perd son bébé dans un accident de voiture. Si Marie-Lune avait tout raconté comme c'était arrivé, Gabriel aurait peut-être lu le roman un jour et deviné que ce moustique, c'était lui.

François aussi avait laissé ses pensées errer. Il avait revu Marie-Lune comme ils l'avaient connue, Claire et lui, dans ce petit bureau des services sociaux où ils l'avaient rencontrée, « enceinte et en désastre » selon les mots qu'elle avait employés. Quinze ans plus tôt, Claire avait craqué pour cette adolescente deux fois plus jeune qu'elle. Elle l'avait prise dans ses bras, comme une mère, et elle l'avait consolée. Depuis, elle avait perdu ce don d'empathie. Claire s'était transformée en lionne, prête à tout pour défendre ses petits.

— Le pire, tu le sais, c'est qu'il lui ressemble, continuait Claire. Il a les mêmes yeux… Et il y a quelque chose dans sa personnalité… Je suis sûre que tu as remarqué. Une fougue, une ardeur, une intensité pas ordinaire qu'il ravale la plupart du temps mais qui déborde parfois et qui me rappelle sa mère.

Elle fit une pause, tendit une main tremblante vers son verre d'eau, but un peu mais avec effort comme si sa gorge était obstruée.

— Je ne me sens pas à la hauteur, François. J'ai peur. Aide-moi… Gabriel vit déjà une adolescence difficile. Simplement parce qu'il est plus sensible et plus intelligent que bien d'autres. Il faut le protéger, lui laisser du temps. Plus tard, s'il veut vraiment, alors peut-être…

François l'écoutait à peine. Une foule de pensées se bousculaient dans sa tête. Il avait besoin d'un peu de temps pour y mettre de l'ordre, pour évaluer calmement la situation. Et puis... il aurait eu du mal à préciser... mais quelque chose semblait lui avoir échappé. Il avait toujours accordé entièrement sa confiance à Claire pour tout ce qui touchait les enfants, mais il la découvrait soudain plus fragile qu'il ne l'avait imaginée et moins solidaire de sa vision.

Un élan de tendresse l'envahit. Après des mois de déception, d'impuissance et de colère, il avait envie de simplement serrer son fils dans ses bras. Ce numéro de téléphone sur une petite feuille froissée lui révélait que Gabriel vivait des questionnements douloureux. Et Claire n'était peut-être pas la mieux équipée pour l'aider. Gabriel avait peut-être maintenant besoin de lui. Son père.

— Je n'étais pas sûre de vouloir t'en parler... disait encore Claire. Après tout, ce n'est qu'un numéro de téléphone. Il ne l'a peut-être pas encore utilisé... Mais je n'ai jamais même imaginé que tu voudrais qu'on l'encourage à fouiller le passé. Je pensais que tu te souviendrais de ce qu'on a vécu.

Rappelle-toi, François ! Rappelle-toi les deux semaines de torture quand la mère biologique de notre petit bébé l'a pris en otage. Quand, après l'accouchement, Marie-Lune Dumoulin-Marchand a décidé de garder notre bébé. Quand, chaque matin, on se demandait s'il nous serait un jour rendu. Je n'ai jamais autant souffert. Je ne veux plus jamais rien vivre de semblablè. Gabriel et Christine sont ce que j'ai de plus précieux. Avec toi. Et je vais continuer à les protéger. Coûte que coûte.

François régla l'addition et ils quittèrent le restaurant sans dire un mot de plus. Claire aurait souhaité qu'il la rassure, mais François était trop occupé à réévaluer son rôle de père.

Chapitre 11

Elle venait d'attaquer la grande côte, un peu avant la fourche séparant le chemin Tour du lac de la route menant au parc du mont Tremblant, lorsque les premiers flocons s'étaient mis à tomber mollement, tout doucement. Marie-Lune n'avait pas immédiatement remarqué l'extraordinaire ballet aérien. Elle était trop absorbée dans ses pensées, trop enfoncée dans cet espace autre, quelque part entre la pleine conscience et le songe. Et pourtant, elle avait quand même ressenti intimement cette métamorphose du ciel. Alors même que ses réserves d'énergie semblaient diminuer, elle avait eu l'impression, tout à coup, de devenir plus légère. Un peu comme s'il lui poussait des ailes.

C'est au moment où elle amorçait la descente que la majesté du spectacle l'atteignit soudain. Alors, au lieu de s'arrêter pour contempler le ciel en fête, elle accéléra le pas, grisée de beauté, pour mieux participer à la magie de cette première neige, pour mieux se laisser saouler par son parfum d'eau, de froidure et de mystère. Marie-Lune décida que cette brusque averse était un signe, la confirmation qu'elle était sur la bonne voie, qu'elle avait raison de s'arracher à sa petite routine faussement sécurisante. Le ciel l'incitait à continuer, malgré les brusques accès de découragement et les crises d'angoisse. Il l'encourageait à tenir bon même s'il lui restait si peu de certitudes. Même si plus rien ne semblait véritablement acquis. Pas même Jean…

Marie-Lune continua d'aspirer à pleins poumons l'air mouillé, étirant parfois la langue pour cueillir au passage un flocon fondant. C'était sa première course depuis si longtemps. Quand avait-elle subitement changé son rythme d'activités, étouffant ses ardeurs, cultivant la tranquillité jusqu'à l'engourdissement, retenant les élans et évitant les débordements comme un grand brûlé fuit les sources de chaleur ?

Elle allait passer tout droit devant la maison des Lachapelle lorsque Mia, une grosse femelle bouvier bernois, fonça sur elle, la queue fouettant l'air à vive allure pour marquer sa joie, ses grands yeux mouillés dévorant Marie-Lune dans la quête désespérée d'un signe d'affection.

— Salut, vieille folle! chuchota Marie-Lune en s'accroupissant pour mieux lui flatter la tête et lui tapoter les flancs. Ça fait un moment, hein? Tu ne m'en veux pas trop? Ta voisine est sauvage, ma belle. C'est tout.

Une voix venue de la véranda interrompit les confidences de Marie-Lune.

— Si c'est pas de la belle visite! Entre, Marie-Lune. Viens! Reste pas là, au bord du chemin. Mia va te manger tout rond! Je veux ma part, moi aussi.

Marie-Lune s'approcha un peu, bien résolue à terminer sa route mais émue par la chaleur de l'accueil. De Mia comme de sa maîtresse.

— Je suis en nage. Je courais... Je termine un tour du lac. Je ne peux pas m'arrêter maintenant... mais je vais revenir. Promis.

— Quand ça? Tout à l'heure? Ce soir? Demain matin? On s'ennuie de toi, Marie-Lune...

Il y avait davantage de tristesse que de reproche dans la voix de Solange Lachapelle, aussi Marie-Lune promit-elle de passer « tout bientôt » avant de reprendre sa course. Deux cents mètres plus loin, elle dut rebrousser chemin : la grosse Mia l'avait suivie et elle soufflait comme si ses poumons allaient exploser. Marie-Lune la ramena sur la véranda en prenant une voix autoritaire pour lui intimer d'y rester. La chienne s'assit avec une mauvaise grâce évidente, puis accepta à contrecœur de se coucher et de ne plus bouger. Alors, les oreilles basses, le regard fondant, elle poussa un soupir à fendre les pierres qui laissa Marie-Lune toute chose.

Celle-ci reprit sa course, songeuse. L'idée qui venait de lui traverser l'esprit l'excitait et la terrifiait tout à la fois. Elle décida de prendre le temps de réfléchir, de ne pas s'engager trop rapidement, d'évaluer le projet à tête froide… Et puis soudain, elle lança à haute voix :

— Non. Tant pis. C'est maintenant ou jamais.

Elle sprinta le dernier kilomètre, heureuse de s'en découvrir capable, arriva à la maison le cœur cognant jusque dans les oreilles, se débarrassa en hâte de ses chaussures de course, courut jusqu'au téléphone sans prendre le temps d'enlever son haut de survêtement complètement trempé et composa le numéro de Jean à la clinique avec le sentiment de faire une gaffe.

Une belle gaffe.

Chapitre 12

Gabriel avait l'impression de transporter une bombe. Il avait grand besoin d'être seul, mais il n'avait pas la moindre idée d'où se réfugier. Quelques minutes plus tôt, alors qu'il allait se diriger vers la salle d'entraînement, Maxime l'avait rejoint à son casier pour lui remettre l'enveloppe.

— C'était dans le courrier d'aujourd'hui. Ça tombait bien : je suis retourné à la maison ce midi pour prendre mon devoir de chimie. Personne l'a vu. T'es chanceux. C'est bien ça que tu attendais ?

Maxime aurait souhaité obtenir au moins quelques indices sur le contenu de ce mystérieux colis, mais Gabriel lui avait arraché l'enveloppe en grommelant quelques mots qui semblaient devoir tenir lieu de remerciements, puis il avait discrètement quitté l'école deux heures avant la fin des cours sans s'inquiéter des conséquences. Depuis, il cherchait un endroit tranquille où s'arrêter, un lieu où il ne risquait pas de croiser quelqu'un qui le connaissait ou qui connaissait ses parents. Il allait se rabattre sur un casse-croûte miteux, tout en longueur, au fond duquel il serait à peu près en paix, lorsqu'il aperçut l'église un peu plus loin.

Le sanctuaire était vide. Il y régnait un silence absolu, impressionnant et un peu sinistre. Gabriel trouva les lieux bien différents des deux autres fois où il était venu, à l'enterrement du père de Julien Simoneau et au mariage d'Isabelle Allard, la fille d'un couple d'amis de ses parents. Il décida d'avancer jusqu'aux premiers bancs afin de profiter d'un meilleur éclairage. Alors, seulement, il déchira l'enveloppe.

La première page du document était une lettre type, expédiée à tous les « demandeurs » et servant à rappeler que les informations qui suivaient étaient de caractère non confidentiel. S'il souhaitait connaître l'identité de ses parents ou faire une demande de rencontre parent-enfant, il devait adresser sa demande d'ici un mois et blablabla. À partir de la deuxième page, il avait accès au document proprement dit, un truc très officiel avec titres et sous-titres multiples, mais tous les espaces à remplir, tous les renseignements d'ordre personnel qui le concernaient, lui, spécifiquement, étaient rédigés à la main.

Il apprit d'abord qu'il était né à l'hôpital de Sainte-Agathe, ce qui lui remua un peu les tripes parce que c'était à moins d'une heure de chez lui. Cela signifiait sans doute aussi que ses parents biologiques n'habitaient pas si loin, à l'époque du moins. Suivirent quelques informations sur son poids et sa taille à la naissance qui ne lui dirent pas grand-chose étant donné ses compétences en puériculture.

Au milieu de la page suivante, il sentit que la machine qui le tenait en vie, tous ces organes qui lui permettaient entre autres de respirer et qui faisaient circuler le sang dans ses veines, tombait soudain en panne. Il poursuivit la lecture dans un état second. Chacun des mots tracés sur ces feuilles de papier l'atteignait en plein cœur. Quelques pages plus loin, il éclata en sanglots.

Gabriel Veilleux venait de découvrir qu'il n'était pas un vilain petit canard à la naissance. Son histoire personnelle appartenait à un tout autre schéma narratif, comme l'enseignait PP. À sa naissance, sa mère était encore plus jeune que lui. Il lui avait joué un tour en se manifestant plusieurs semaines avant la date prévue. L'accouchement difficile avait mis sa jeune maman à rude épreuve. N'empêche que c'est là, tout de suite après la naissance, qu'un petit miracle s'était produit. En le voyant, elle avait craqué. Sur le formulaire, il était écrit plus prosaïquement que « la mère avait brusquement changé d'idée », mais c'était la même chose. Elle l'avait réclamé. Elle l'avait pris dans ses bras et elle n'avait plus été capable de l'abandonner. Alors elle avait chamboulé tous ses plans et elle était restée à l'hôpital pour le nourrir de son lait parce que c'était mieux pour lui, pour sa survie. Et sans doute aussi parce qu'elle en avait envie. Pendant deux semaines, elle l'avait allaité, cajolé, dorloté, aimé. Après, seulement, elle l'avait finalement confié à Claire et à François. « La jeune mère a eu énormément de mal à se séparer de son bébé. » C'est ce qui était inscrit, noir sur blanc, en page six, sur la dernière ligne.

Rendu à la page neuf, Gabriel Veilleux comprit brutalement qu'il n'avait aucune chance de croiser son père dans un cinéma, un centre commercial ou au coin de la rue. L'amoureux de sa mère était mort « dans des circonstances tragiques » quelques années après sa naissance. Les renseignements sur le père biologique s'arrêtaient là. De sa mère, il savait qu'elle avait les cheveux « auburn », les yeux « bleu très clair », une taille « normale ». De son père, il n'avait appris qu'une chose : il était mort. Il ne le connaîtrait jamais.

Gabriel songea à arrêter sa lecture là. Pour ne pas exploser. Parce que sa capacité d'absorption et de réaction avait déjà été largement dépassée. Son réservoir d'émotions était vide, à sec. Il était sagement assis sur son banc d'église, le dos droit, les mains sur les cuisses. Il ne pleurait plus. Il ne ressentait plus rien. Et pourtant, un vague pressentiment mêlé de curiosité l'avait incité à feuilleter rapidement les dernières pages et dès lors, il lui avait été impossible de remettre la lecture à plus tard. L'adolescent découvrit ainsi qu'il lui restait d'immenses réserves de colère et d'abattement. En page onze, il lut que Claire et François connaissaient sa mère biologique, qu'ils l'avaient rencontrée à sa demande, quelques mois avant l'accouchement. Ils l'avaient vue, ils lui avaient parlé, ils auraient pu la décrire, mais ils le lui avaient caché.

Gabriel remit le formulaire dans l'enveloppe, qu'il fourra sous son blouson. Il aurait voulu partir. Loin, très loin. Mais avant, il devait trouver cette femme. Il ne pouvait plus se satisfaire de miettes d'informations. Il avait besoin de la voir. De lui parler. Parce qu'elle avait été là, aux premiers jours de sa vie. Pas seulement aux premières minutes, aux premières heures. C'est cette femme qui l'avait imprégné à sa naissance et pendant bien plus que vingt-neuf heures. C'était elle la clé, l'explication, le morceau manquant. Il avait besoin de la retrouver pour reconstituer le casse-tête de son identité. Après, à l'instar du petit canard du conte, il fuirait lui aussi vers d'autres cieux mais en sachant désormais à quelle espèce il appartenait.

Des pas rapides martelèrent le plancher de bois et l'écho de cette progression résonna dans l'église déserte comme dans une caverne. Une toute petite dame aux cheveux gris-bleu, enveloppée dans un manteau de laine et portant chapeau et gants, avança résolument jusqu'à l'autel. Sa démarche n'avait rien d'hésitant, elle avait l'air d'une personne parfaitement chez elle.

La dame s'immobilisa à quelques pas de l'autel. Elle fit lentement un signe de croix, s'agenouilla et resta longtemps ainsi prostrée, relevant de temps en temps la tête, pour mieux visualiser son interlocuteur, un grand christ de plâtre, crucifié sur une planche de bois.

Gabriel songea à quitter les lieux. Il n'avait plus rien à faire là et une certaine pudeur l'incitait à se retirer pour laisser cette dame à sa conversation intime avec Dieu, ou plutôt le fils de ce dernier, rectifia-t-il mentalement en se remémorant ce qu'on lui avait déjà enseigné. Les lèvres de la vieille dame remuaient pendant un moment, puis elle observait une pause comme pour offrir à son interlocuteur le temps de répondre, avant de poursuivre l'échange silencieux. Elle parlait au Christ comme s'il eût été un ami de longue date. Gabriel en fut troublé. Ce qu'il aurait donné, là, tout de suite, pour un confident parfait ou peut-être un ange, tiens. Oui. Un ange qui veillerait sur lui et l'accompagnerait dans la suite de son histoire, qui l'empêcherait de se sentir aussi terriblement seul au monde et qui le retiendrait de tomber. Parce qu'il avait de plus en plus peur de basculer dans le vide.

La dame finit par se relever tranquillement et entreprit de retraverser le sanctuaire, sans hâte mais d'un pas étonnamment alerte, le front légèrement baissé. Elle ne semblait pas abattue mais sereine et comme délicieusement imprégnée d'une présence. Gabriel reconnut le bruit sourd de la porte se refermant derrière elle.

· La visite avait eu l'effet d'un intermède. Gabriel dut, un peu comme après un rêve, renouer avec la réalité, se rappeler ce qu'il avait appris. La mort de son père « naturel » ne l'atteignait pas pleinement. Peut-être vivrait-il l'effet à retardement. Il avait été saisi, déçu. Il s'était senti floué. Mais comment peut-on pleurer quelqu'un qu'on ne connaît pas ? Le décès de cet homme le laissait surtout avec un sentiment d'urgence, l'urgence de rencontrer son autre parent, sa mère de ventre, avant qu'elle ne disparaisse peut-être à son tour.

Alors lui revint la tromperie de ses parents adoptifs et une puissante colère se répandit en lui. Claire et François s'étaient permis de récrire l'histoire de sa vie. Ils savaient, eux, qu'il n'avait pas échoué la première et la plus importante épreuve de son existence. Ils savaient que la femme qui l'avait mis au monde l'avait aimé. Pendant des années, il avait été tourmenté par cette crainte, cette honte même, d'être venu au monde dans l'indifférence et voilà qu'il apprenait que c'était tout faux et qu'il aurait pu en être rassuré bien avant. Claire et François savaient depuis le début pourquoi leur fils adoptif avançait dans la vie avec l'impression qu'il lui manquait un membre. Ce membre, c'était elle, la femme qui l'avait enfanté, nourri et serré contre son sein. Elle avait été là, à ses côtés, pendant bien plus de temps qu'il ne faut normalement pour être imprégné et pour voir modifié à jamais son sentiment d'appartenance, comme son identité.

Au terme de cette réflexion, Gabriel découvrit qu'il n'avait plus de larmes et que sa colère l'avait abandonné. Il ne lui restait plus qu'une froide détermination. Cinq minutes plus tard, il traversait le casse-croûte miteux où il avait songé s'installer plus tôt, fonçait droit vers le téléphone public, tout au fond, entre la cuisine et les toilettes, où s'entremêlaient les odeurs de patates frites, d'urine et de saucisse fumée, et composait le numéro de téléphone qu'il connaissait par cœur.

L'entretien téléphonique fut bref. En raccrochant, Gabriel dut faire des efforts inouïs pour ne pas totalement perdre pied. Il était déjà sonné avant de composer le numéro et, alors même qu'il ne s'y attendait pas, on lui assenait un de ces coups qui rendent K.-O. Il avait failli s'écrouler. Finalement, il avait tenu bon. Le désespoir devait être un puissant carburant. Parviendrait-il encore longtemps à résister à l'abattement, à garder bravement le cap, alors même que tous les nuages du monde se donnaient rendez-vous au-dessus de sa tête ?

✦

À son arrivée dans la salle d'haltérophilie, Gabriel fut saisi par la chaleur suffocante. Les autres athlètes devaient s'entraîner depuis un bon moment déjà. Une vague nausée le surprit. Pourtant, l'odeur capiteuse des corps au travail ne l'avait jamais importuné avant. En apercevant celui qu'il avait baptisé Power Boy, Jeff Scott esquissa un début de sourire qui se transforma en grimace au moment où il arrachait sa barre. D'autres athlètes saluèrent Gabriel d'un grognement. Guillaume Demers se contenta de hocher la tête, une manière de dire : O.K., je t'ai vu. Au lieu de déposer son sac à dos sur le petit banc à côté de la porte en entrant, Gabriel marcha droit vers son entraîneur.

— Je peux te parler ?

— Ouais, vas-y, répondit Demers sans quitter Jeff Scott des yeux alors qu'il tentait de battre un record personnel à l'épaulé-jeté.

— Pas ici, objecta Gabriel.

Guillaume Demers garda les yeux rivés sur Jeff Scott.

— T'es capable. Concentre-toi ! Allez ! Vas-y, Sainte-Philomène ! Pousse maintenant… Complète ton mouvement, l'encouragea-t-il.

Le visage rouge, les joues gonflées par l'effort, Scott avait réussi à stabiliser sa barre à la hauteur des épaules. Il inspira et ferma les yeux, visiblement prêt à fournir tout ce qui lui restait de volonté et d'énergie, puis il émit un rugissement de bête en poussant la barre pour compléter l'épaulé-jeté. La barre leva, puis elle se mit à tanguer avant de lui échapper pour tomber lourdement sur le sol.

— C'est bon! T'es pas loin. Complète mieux ton mouvement. Lâche pas! On va l'avoir la prochaine fois.

L'entraîneur se tourna enfin vers Gabriel.

— Ouais. Excuse-moi... Tu disais?

— Je voudrais te parler dans le corridor à côté.

Demers prit le temps de jauger son plus jeune et plus rebelle athlète. Veilleux était pâle et crispé.

— Ça ne va pas? s'enquit l'entraîneur, inquiet.

Pour toute réponse, Gabriel se dirigea vers le corridor et Demers accepta de le suivre.

— Les championnats juniors... c'est quand déjà? s'enquit Gabriel dès qu'ils furent hors de vue et d'écoute des autres athlètes.

Demers consulta sa montre pour connaître la date avant d'effectuer le calcul.

— Dans six semaines, répondit-il.

— Est-ce que je peux encore?

— Tu veux t'inscrire aux championnats juniors? aboya l'entraîneur, incrédule.

— Ouais.

— Vraiment?

— Oui. Vraiment, répondit Veilleux sur un ton où perçait tant de détermination que Guillaume Demers en fut ébranlé.

L'entraîneur scruta le visage de Gabriel. Guillaume Demers détestait se faire mener par le bout du nez. Non, je ne veux pas, oui, je veux, non, je ne veux plus… Dans son esprit, le patron, le chef d'orchestre et le directeur des opérations, c'était lui. Il n'avait pas envie d'investir dans un athlète qui ferait la pluie et le beau temps dans son club de compétition. Si Veilleux voulait strictement s'amuser à lever des barres, libre à lui, Demers acceptait même d'être bon prince en lui fournissant quelques conseils. Mais si l'adolescent souhaitait s'entraîner sérieusement en vue de participer à des compétitions, il devrait rentrer dans le moule et accepter les règles du jeu.

— C'est moi qui décide si un de mes athlètes est prêt ou non pour une compétition, déclara-t-il fermement.

Gabriel sentit la moutarde lui monter au nez. Il ouvrit la bouche… et la referma juste à temps en se rappelant qu'il devait garder le cap, coûte que coûte.

— J'ai compris, répondit-il d'une voix blanche.

— Parfait. Alors, voilà comment ça fonctionne. Pour s'inscrire aux championnats juniors, il faut d'abord réussir les essais.

Ça se déroule ici, au club, quand je décide que ça doit avoir lieu, environ deux mois avant la compétition…

Demers gardait les yeux rivés sur son jeune athlète. À l'annonce de ce délai qui annulait ses chances de participation aux championnats juniors, le visage de Gabriel s'était littéralement décomposé.

— Mais il m'est arrivé d'organiser des essais jusqu'à deux semaines avant la compétition, ajouta l'entraîneur. Dans ta catégorie, les quatre-vingt-cinq kilos, tu dois pouvoir lever deux cent dix kilos au total, épaulé-jeté plus arraché, pour te qualifier. Il faudrait viser, disons, environ quatre-vingt-quinze à l'arraché et cent quinze à l'épaulé-jeté. En travaillant bien, tu aurais de bonnes chances d'y arriver.

— Je comprends. Mais mon but, ce n'est pas de participer: c'est de gagner, déclara Gabriel du même ton terriblement résolu qu'il avait utilisé pour annoncer sa volonté de s'inscrire à la compétition.

La déclaration de l'adolescent fouetta Guillaume Demers. Gagner. Ce mot avait sur lui l'effet d'un puissant excitant. C'est cette soif de vaincre qui l'avait amené à choisir ce métier. C'est pour ça qu'il se levait

dès l'aube pour remplir de friandises des di-
zaines de machines distributrices éparpillées
dans des établissements au diable vauvert
afin de pouvoir ensuite consacrer presque
toutes ses fins d'après-midi et ses soirées à
ses athlètes dans cette salle mal aérée. Fra-
casser des records et gagner. C'était l'essence
même de ce qui l'animait et donnait un sens
à sa vie.

— T'es un drôle de moineau, Power
Boy, déclara-t-il en riant. Écoute… Je pense
honnêtement que t'as tout ce qu'il faut pour
faire un champion. Mais l'idée, c'est de commencer à s'entraîner plusieurs mois avant
une compétition. Comprends-tu ? Là, avec
juste quelques semaines de jeu, tes chances
d'arracher une médaille sont ultra-minces.
Je ne te dis pas que c'est impossible, mais
disons que même si tu travailles comme un
chien, c'est très peu probable. Il faudrait
plutôt viser une médaille… au printemps
disons.

— Non. C'est trop tard… Mais je suis
vraiment prêt à mettre le paquet, plaida
Gabriel.

Demers remarqua le tremblotement dans
la voix de l'adolescent. Il se gratta les joues

à deux mains pendant quelques secondes, le temps de poursuivre sa réflexion.

— O.K. Si tu es vraiment prêt à te défoncer, pas de problème. Tu peux essayer. Mais dis-toi bien que tu vas en baver. Plus encore que tu peux l'imaginer. Compris ?

— Compris, répéta Gabriel.

— Bon. Eh bien ! Qu'est-ce que tu attends ? Change-toi au plus sacrant parce que ça commence maintenant.

Veilleux se dirigea vers la salle d'haltérophilie, heureux d'avoir remporté cette première manche, mais au dernier moment, Demers l'apostropha.

— Dis donc, le jeune… Qu'est-ce qui t'a fait changer d'idée tout d'un coup ?

Gabriel frémit. Il n'allait quand même pas raconter à cet emmerdeur qu'il avait rapidement besoin de cinq cents dollars pour obtenir des renseignements sur sa mère. Parce que sinon, il risquait de poireauter pendant deux ans. Au téléphone, la préposée au service des demandes de recherche des parents biologiques avait été formelle : la seule façon d'accélérer le processus était d'allonger une contribution « volontaire » de cinq cents dollars, ce qui leur permettait de transférer le dossier à des enquêteurs surnuméraires. Or, étant donné la durée de son emploi l'été précédent, son compte en banque était à sec depuis des lunes et il ne pouvait imaginer une autre façon de faire apparaître autant d'argent en peu de temps. Avec une troisième place aux championnats juniors, il décrocherait une bourse d'exactement cinq cents dollars. C'est pour cette raison, et uniquement pour cette raison, qu'il allait accepter de se faire chier par Demers pendant six semaines.

Pour toute réponse, Gabriel se contenta de hausser les épaules, puis il rejoignit les autres dans la salle d'entraînement. Deux heures plus tard, il quitta la même salle avec l'impression de n'être plus qu'une enveloppe vide, un sac de peau sans muscles ni organes ni boyaux. Il se traîna jusque chez lui en fournissant à chaque pas un effort qui lui semblait titanesque et en se demandant par quel miracle il tiendrait le coup pendant six semaines.

Chapitre 13

Le crissement des pneus sur le gravier fit sursauter Marie-Lune. Elle guettait pourtant ce bruit depuis de longues minutes. Jean avait téléphoné pour annoncer qu'il était en route. Par orgueil, pour ne pas trop montrer combien l'entreprise proposée – la belle gaffe ! – lui tenait à cœur, et peut-être aussi dans un réflexe d'autoprotection, elle s'était refusée à lui poser des questions. Lorsqu'il arriverait, elle verrait bien si son vœu était exaucé. Elle continua de débiter la laitue en lamelles, puis trancha les champignons, ajouta de l'échalote…

La porte d'entrée se referma doucement derrière Jean. Il semblait préoccupé et il avait les mains vides. Marie-Lune déposa un baiser sur la joue de son compagnon. Jean lui frotta gentiment le dos puis effleura son front du bout des lèvres.

— J'ai tâté le terrain auprès de Chantal, commença-t-il. Mais je ne me suis pas rendu très loin… Elle et son copain sont déjà très attachés à Poucet.

Marie-Lune encaissa le coup.

— Ce n'est pas grave, murmura-t-elle sans conviction. On en trouvera un autre…

Jean recula pour mieux observer sa compagne. Il avait bien deviné. Elle ne voulait pas simplement un chien. Elle voulait spécifiquement le minuscule yorkshire dont il lui avait vanté les mérites. Quelle affaire ! Et en plus, madame se décidait soudainement, aujourd'hui même.

— Tu me donnes une minute ? demanda-t-il. Je reviens tout de suite.

Marie-Lune hocha la tête et lui offrit un brave sourire qui n'aurait pas réussi à leurrer un enfant de trois ans. Sa déception était flagrante. Jean s'empressa de monter à l'étage. Marie-Lune touilla la salade puis elle entreprit de préparer une sauce rosée, mais un brusque découragement l'envahit. Alors elle se dirigea vers le séjour pour tenter de retrouver ses esprits en fouillant du regard le lac à moitié endormi, les falaises sombres et les dernières silhouettes de nuages qui s'évanouissaient dans la nuit naissante.

Follement, naïvement, bêtement, elle avait misé sur cette petite présence pour injecter un peu de gaieté dans la maison. Mais n'était-ce pas puéril ? Et, surtout, n'était-ce pas la preuve d'un malaise profond ? Depuis qu'elle s'était forcée à émerger de sa torpeur, Marie-Lune était rongée par des doutes terribles. Était-elle réellement la meilleure compagne pour Jean ? Et Jean était-il vraiment l'homme de sa vie ? D'autres questions la hantaient. Combien d'amour faut-il pour qu'un couple survive aux pires intempéries ? Et un tel couple peut-il rester uni sans qu'il y ait un enfant pour souder ces deux êtres et leur fournir une mission ?

En trente ans, outre son père, elle avait aimé deux hommes : Antoine et Jean. Avec eux, elle avait découvert que l'amour change tout. Il pouvait la propulser de la pénombre à la pleine lumière et lui donner l'impression d'irradier de bonheur, comme si elle avait avalé un soleil. En choisissant de confier leur bébé à l'adoption, elle avait perdu Antoine. En se découvrant incapable d'enfanter une seconde fois, avait-elle également perdu

Jean? Marie-Lune enfouit sa tête dans ses paumes réunies. Elle avait honte de douter, et peur, terriblement peur.

Une sonnerie l'arracha à ses pensées. Jean la rejoignit au moment où elle raccrochait le combiné.

— C'était ta mère... expliqua Marie-Lune. Elle a reçu un colis pour moi. Je ne comprends pas... Je n'ai pas quitté la maison de la journée. Et je n'attendais pas de courrier spécial des éditions L'achillée mille-feuille.

— Bof! Allons-y! Ma mère s'ennuie de toi. Ça va lui faire plaisir.

— Le repas est presque prêt... protesta Marie-Lune.

— Allez! Viens! La salade ne brûlera pas, plaida Jean en lui tendant la main.

Marie-Lune le suivit à contrecœur.

Le père de Jean leur ouvrit la porte. Marie-Lune remarqua qu'il avait troqué une de ses vieilles chemises de flanelle contre un polo bon chic bon genre. Il était suivi de sa femme et d'une drôle de petite chose, mi-chocolat, mi-caramel, le poil ébouriffé, l'air canaille, plus petite qu'un chat. L'animal fonça droit vers Marie-Lune, à croire qu'on l'y avait entraîné.

Jean recula pour mieux contempler la scène. Marie-Lune resta un moment figée, puis elle éclata de rire. Un rire d'enfant, cristallin et franc, extraordinairement joyeux. Jean déglutit, en proie à une vive émotion. Marie-Lune n'avait pas ri ainsi depuis des mois, peut-être même davantage. Il retrouvait la Marie-Lune d'antan, celle qu'il s'amusait à faire marcher, à surprendre et à taquiner pour le simple bonheur de l'entendre rire.

Marie-Lune avait déjà cueilli le petit paquet de poils dans ses bras et elle continuait de glousser alors qu'il lui léchait la figure à grands coups de langue râpeuse avec un sans-gêne inouï. Du regard, Marie-Lune chercha Jean et lorsqu'elle le découvrit, sa gorge se noua. Il y avait tant de bonté dans ce regard d'eau noire.

— Merci, espèce de vieux chenapan et de sale affreux menteur, murmura-t-elle en s'approchant de son compagnon pendant que monsieur Lachapelle immortalisait la scène avec son vieux polaroïd.

Marie-Lune allait se hisser sur la pointe des pieds pour embrasser Jean lorsque ses doigts découvrirent un minuscule objet accroché au collier de Poucet. Un tout petit bout de papier roulé portant un message : *Rendez-vous dans la salle à manger.* Marie-Lune interrogea ses compagnons du regard. Les trois paires d'yeux brillaient du même éclat malicieux. Alors elle traversa le vestibule, puis la cuisine, ouvrit les deux larges portes menant à la salle à manger…

Une explosion de cris et de rires l'accueillit pendant que des voix entonnaient : « Chère Marie-Lune, c'est à ton tour… » Ils étaient tous là ! Tous ceux qui comptaient dans son cœur étaient de la fête : son père, Léandre Marchand, qu'elle croyait encore en voyage à Londres pour le journal *La Presse* – ce qui signifiait que Jean et lui avaient commencé à orchestrer cette fête d'anniversaire des semaines plus tôt –, Sylvie, sa fidèle amie d'enfance, Thomas, son mari, Étienne, onze ans, Mathieu, neuf ans et la petite Marie-Soleil, six ans, qui était aussi la filleule de Marie-Lune et de Jean.

La demi-heure suivante fut consacrée aux retrouvailles arrosées de vin mousseux pour les grands et de jus d'orange à la grenadine pour les plus jeunes. Sylvie étreignit longuement son amie d'enfance. Depuis qu'elle habitait avec sa petite famille à Kangiqsujuaq, un minuscule village accroché aux flancs de la baie d'Ungava, où Thomas et elle – rare privilège ! – se partageaient un poste d'enseignant, elle ne voyait plus Marie-Lune que très rarement. Leur dernière rencontre remontait déjà à plus d'un an. Avec beaucoup d'ingéniosité et autant de persuasion, Sylvie avait réussi à coordonner ce voyage-surprise avec des examens médicaux annuels pour Marie-Soleil, qui souffrait de diabète infantile. En ajoutant deux journées pédagogiques – une chance inouïe ! – ils avaient pu s'accorder une pleine semaine de vacances « dans le sud ». La date réelle d'anniversaire de Marie-Lune était seulement deux semaines plus tard, mais l'occasion leur avait tous semblé trop belle.

Jean constata avec satisfaction que Marie-Lune abandonnait à regret son petit Poucet aux enfants et seulement après leur avoir prodigué une foule de recommandations. Et lorsque Solange Lachapelle, qui était toujours aux anges quand sa maison était remplie, annonça joyeusement que la lasagne aux fruits de mer était servie, Jean ne perdit rien du manège entre Marie-Lune et les enfants pour cacher Poucet dans la doudou de

Marie-Soleil que les quatre complices, tous assis du même côté de la grande table, échangèrent en gloussant tout le long du repas.

Sylvie joua celle qui ne voyait rien, accordant sans trop de difficultés à sa cadette la permission exceptionnelle de garder sa doudou sur ses genoux. Monsieur Lachapelle, qui n'avait pas saisi la manigance, demanda plusieurs fois aux enfants ce qui les faisait tant rire. Ses questions déclenchant l'hilarité générale, Marie-Soleil finit par le prendre en pitié. Elle s'approcha doucement du grand homme à la peau fripée et à l'air faussement bourru qu'elle connaissait pourtant peu et lui souffla à l'oreille la vérité.

Une fois la lasagne expédiée, les enfants perdirent un peu d'intérêt pour Poucet parce qu'un autre projet éminemment jouissif réclamait leur attention. Marie-Lune remarqua leur impatience ainsi que les regards entendus entre eux et Solange Lachapelle. Soudain, obéissant à un signal secret, les enfants entreprirent très cérémonieusement de desservir la table. Puis, les lumières s'éteignirent et Marie-Lune vit apparaître un énorme gâteau surmonté de chandelles.

— Il faut que tu souffles, Marie-Lune ! la pressèrent Étienne et Mathieu.

— Oui, mais avant tu dois faire un vœu, rappela Marie-Soleil d'une voix qui trahissait tout le plaisir que représentait à ses yeux l'entreprise. Un vœu dans ta tête, précisa encore la petite fille. Si tu le dis, ça gâche tout.

Marie-Lune acquiesça gravement. L'opération lui sembla soudain revêtir une réelle importance. Était-ce dû à la présence des trois enfants ? à cette ferveur qui les animait et qui parait de magie des gestes autrement anodins ? Marie-Lune ferma les yeux pour se concentrer sur son vœu. Que souhaitait-elle plus fort que tout ? Un désir puissant l'envahit aussitôt. Elle avait besoin de retrouver son fils. De le voir, de le toucher, de l'étreindre. Et de s'assurer qu'il allait bien. Malgré le grand chambardement qu'elle avait amorcé, c'était encore son vœu le plus cher.

La petite main chaude de Marie-Soleil pressa doucement l'épaule de Marie-Lune. Tout le monde attendait. Marie-Lune se remémora alors la promesse qu'elle s'était faite à cinq heures quinze du matin, quelques jours plus tôt : faire le deuil du passé pour enfin rallumer les étoiles. « Je souhaite avoir le courage de tenir ma promesse », se dit-elle en secret. Puis, elle inspira profondément et, d'un seul souffle, comme si sa vie en dépendait, elle éteignit toutes les chandelles. Les applaudissements jaillirent.

Marie-Soleil fit aussitôt apparaître un immense bouquet de fleurs dessiné sur une feuille de papier rose où elle avait tracé son nom au bas en lettres dansantes. Étienne et Mathieu s'empressèrent de lui voler la vedette en exhibant une boîte remplie de biscuits en forme de dinosaures qu'ils avaient confectionnés «presque tout seuls», puis Sylvie déposa un paquet joliment emballé devant Marie-Lune.

— Je t'avertis! Ça vaut une fortune, mais Thomas l'a eu d'un ami à un prix qui va nous permettre de continuer à nourrir nos enfants, annonça-t-elle, heureuse de piquer la curiosité de la jubilaire.

— J'ai dû chasser l'ours pendant trois jours avec le propriétaire de l'objet avant même de commencer à en négocier le prix, ajouta Thomas, l'œil espiègle.

Marie-Lune comprit qu'il disait vrai lorsqu'elle découvrit un magnifique oiseau sculpté dans l'ivoire de morse. Avec ses grandes ailes déployées, il semblait prêt à s'envoler. Sylvie lui avait déjà montré des pièces de l'artiste dans une galerie à Montréal et Marie-Lune avait été troublée par la beauté sauvage des animaux qu'il arrachait à la pierre. Un sanglot monta dans la gorge de Marie-Lune et l'instant d'après elle pleurait dans les bras de son amie. Les autres n'y virent que la manifestation d'une grande joie, mais Sylvie savait que cette sculpture rappelait à Marie-Lune le grand oiseau du poème d'Alfred de Musset que Fernande, sa mère, lui avait légué en souvenir et sans doute aussi cet autre oiseau sculpté, plus modeste, offert par Antoine à son quinzième anniversaire.

— C'est pas fini ! déclara bientôt Marie-Soleil, qui avait hâte de savoir ce que cachaient les autres boîtes.

Les parents de Jean offrirent à leur belle-fille un plein panier de gourmandises : biscuits fins, confitures et gelées maison, noix caramélisées, chocolats, bonbons, fruits confits.

— C'est pour te remplumer, fille ! précisa monsieur Lachapelle d'un ton paternel.

Marie-Lune les embrassa chaudement avant d'ouvrir le cadeau de Léandre, un livre intitulé *Confidences d'écrivains*. Son père n'avait visiblement pas fini de la harceler pour qu'elle se remette à écrire.

— Espèce de grosse tête dure ! lui lança Marie-Lune en le serrant contre elle.

— Je garde un plein rayon de ma bibliothèque pour accueillir tes prochaines œuvres, répliqua Léandre.

Thomas dut rappeler à Marie-Soleil – les garçons, eux, s'en souvenaient bien – que l'amie de leur mère avait déjà écrit un livre, un « roman pour les grands ». L'affaire impressionna la fillette au plus haut point. « Un vrai livre ! » s'exclama-t-elle, ravie de cette découverte. L'excitation monta d'un cran lorsque Marie-Lune lui expliqua que son prénom figurait dans le roman, c'était même celui du personnage le plus important. La fillette continua de réfléchir à tout ça en écoutant les conversations des grands jusqu'à ce que ses parents lancent le signal du départ, ce qui déclencha de vives protestations de la part des garçons qui avaient entrepris d'enseigner à Poucet à leur rapporter les boulettes de papier d'emballage qu'ils lançaient d'un bout à l'autre de la maison. Léandre se prépara également à partir, car il devait retourner à Montréal le soir même. Marie-Lune offrit à sa belle-mère de rester pour nettoyer, mais cette dernière l'encouragea plutôt à rentrer « pour terminer la soirée en amoureux », ajouta-t-elle, avec un sourire rempli de sous-entendus.

Une fois tous les baisers, les adieux, les remerciements et les promesses de retrouvailles échangés, alors que Sylvie venait tout juste de quitter la maison avec sa joyeuse tribu, la porte s'ouvrit à nouveau sur Marie-Soleil. L'air déterminé, la fillette avança vers Marie-Lune et l'incita à se baisser pour lui souffler un secret à l'oreille.

Personne d'autre n'eut accès à la confidence, mais Marie-Lune ferma les yeux, visiblement touchée, et elle pressa ardemment la fillette contre elle avant de la laisser courir vers ses parents. Alors, pour la première fois, comme s'il était pris d'un brusque accès de jalousie, Poucet aboya d'une voix étonnamment forte pour une si petite bête, ce qui provoqua une explosion de rires.

Poucet dormait déjà au bout du lit, épuisé par les festivités. Marie-Lune cherchait encore les mots pour exprimer sa gratitude à Jean. Elle l'avait déjà remercié plusieurs fois, mais ça ne lui semblait pas suffisant. La surprise avait été totale et la soirée vraiment magique. Jean avait fini par avouer que le conjoint de Chantal s'était rapidement découvert une allergie aux chiens. Aussi, même s'il était vrai que le couple s'était profondément attaché à Poucet et n'avait pas du tout envie de s'en départir, la proposition d'adoption de Marie-Lune – et le jour même où il avait planifié cette fête d'anniversaire! – avait été accueillie avec beaucoup d'empressement.

— En plus, j'étais totalement à court d'idées pour son cadeau d'anniversaire, avait raconté Jean devant les invités. S'il n'y avait pas eu Poucet, je lui aurais offert un congélateur...

Marie-Lune rigola doucement en se rappelant la boutade de Jean.

— C'est une des plus belles fêtes de ma vie! Merci... dit-elle en se pelotonnant contre son compagnon.

Le désir de Jean était palpable. Grisée par ces festivités joyeuses et par toutes les manifestations d'amour, Marie-Lune sentait des houles de désir l'envahir aussi. Mais, en même temps, elle avait peur qu'au premier détour l'angoisse surgisse. Peur que cette délicieuse soirée se termine sur un échec. Alors, elle caressa lentement le visage de Jean avec des gestes d'une infinie tendresse en y déposant une multitude de petits baisers. Puis, devinant combien il en coûtait à son compagnon de freiner ses élans, elle enfouit sa tête dans son cou et s'emplit de son odeur. Ils restèrent ainsi un long moment étroitement enlacés.

Marie-Lune croyait Jean endormi lorsqu'il la surprit en demandant soudain :

— Tu veux me dire ce que Marie-Soleil t'a confié à l'oreille ?

— Elle m'a demandé d'écrire un autre livre, répondit Marie-Lune.

Jean attendit. Il savait qu'elle n'avait pas fini.

— Elle m'a demandé d'écrire un livre… pour les enfants, ajouta Marie-Lune.

Jean ne dit rien de plus. Marie-Lune se demanda s'il pouvait entendre le bruit fou de son cœur cognant trop fort contre sa poitrine.

Un aperçu de la deuxième partie

Le canard était encore là, fidèle au poste, régnant calmement sur son territoire. Il avait semblé surgir de nulle part au moment même où Gabriel allait repartir après avoir vainement cherché des signes de sa présence. L'oiseau était apparu comme par magie dans un îlot de lumière de l'autre côté de l'étang, là où la berge était couverte d'une végétation trop dense pour que Gabriel puisse s'approcher de l'eau. Muni de jumelles, l'adolescent profita de l'immobilité de l'oiseau pour mieux l'identifier. Le collier blanc, le dos noir à damier, le bec élancé… c'était bien un huard.

Gabriel resserra l'écharpe autour de son cou. C'était une journée splendide, avec un soleil radieux comme pendant l'été des Indiens mais assorti d'un mercure d'hiver. L'adolescent revisita en mémoire les informations qu'il avait glanées à la bibliothèque de l'école sur les diverses espèces de canards d'Amérique. Qu'est-ce que le huard à collier avait de particulier, outre son cri de grand écorché ? Il avait retenu que contrairement au canard bec-scie, un animal plutôt grégaire qui évoluait en colonie, le huard était une bête beaucoup plus solitaire. « Comme moi », songea Gabriel, heureux de voir l'oiseau sauvage se rapprocher tranquillement de son poste d'observation.

Un coup de vent particulièrement violent fit frissonner l'adolescent. Quelques jours plus tôt, il avait neigé et pendant vingt-quatre heures, le sol était resté couvert de plusieurs centimètres de sucre blanc. Puis, il y avait eu un redoux et la neige avait complètement disparu, mais on annonçait maintenant plusieurs jours de temps froid. L'étang allait geler. Alors qu'adviendrait-il de son pensionnaire ailé ?

Dans l'ouvrage documentaire qu'il avait consulté, Gabriel avait lu que les canards qui nichaient près des lacs se déplaçaient à l'automne vers la mer, où ils ne risquaient pas d'être prisonniers de la glace. Il s'était donc attendu à ne pas revoir l'animal, qui aurait sûrement fui vers des berges plus clémentes, et pourtant le huard était toujours là. Il n'avait encore rien trouvé de mieux que cet étang.

Gabriel détourna la tête, alerté par un bruit. Une silhouette s'approchait. Instinctivement, il recula, profitant des buissons d'églantier pour se dissimuler. Il n'avait pas envie de se mêler aux humains. C'est même fou ce qu'il aurait donné pour pouvoir camper quelques jours au bord de cet étang avec pour seul compagnon cet oiseau solitaire. La forme humaine se précisa. C'était un coureur qui avançait à bon rythme. Gabriel étouffa un cri juste à temps et il se tapit derrière les arbustes sauvages en reconnaissant Emmanuelle Bisson.

La princesse courait! Et seule, sans cortège. Gabriel savait que la très athlétique jeune star du collège excellait au tennis et au basket, mais il ne l'aurait pas crue adepte de plein air et encore moins d'entraînement solitaire. Les chaussures de course et le bas du survêtement de la jeune fille étaient maculés de boue. Elle portait un mince blouson ouvert sur un simple chandail et tenait des gants dans une main et une tuque dans l'autre, signe qu'elle avait couru assez long-temps pour être bien réchauffée.

Emmanuelle Bisson fonça droit vers le bosquet, derrière lequel Gabriel l'épiait, sans remarquer le vélo de montagne couché dans les hautes herbes tout près. Elle s'arrêta à quelques pas seulement. Haletante, le souffle rauque à force d'engouffrer l'air froid, le visage en nage et rougi par l'effort, elle contempla l'étang. Son regard était vague, peut-être même triste, mais ses yeux verts brillaient d'une intense lueur.

Elle continua de fixer un point imprécis de l'autre côté de l'étang sans voir le huard qui avançait vers eux en longeant doucement la berge, l'air attentif à ne déranger rien ni personne. Quelle idiote! songea Gabriel, pourtant bien content de ne pas partager son compagnon ailé avec cette chipie. L'oiseau plongea et refit surface sans troubler l'attention de la jeune fille. Elle resta immobile, les bras ballants, ses longs cheveux agités par le vent.

Gabriel était suffisamment près d'Emmanuelle pour entendre sa respiration haletante. « Allez! Va-t'en! Fiche-moi la paix! » avait-il envie de crier, de plus en plus mal à l'aise dans sa position accroupie. Il commençait aussi à se sentir un peu voyeur. Il avait l'impression que ce territoire lui appartenait et que c'était elle, l'intruse, mais en même temps, quelque chose dans l'allure de l'adolescente le troublait. Cette fille-là ressemblait bien peu à la vedette si parfaite, hors d'atteinte et trop pleine d'elle-même qui l'avait humilié quelques semaines plus tôt dans la classe de PP.

Un long gémissement douloureux déchira le silence. Le huard affolé courut sur l'eau et s'enfuit dans le ciel. Gabriel sentit son sang se figer dans ses artères. Cette plainte, qui semblait porter toute la misère du monde, avait jailli du ventre d'Emmanuelle Bisson. Elle se tenait encore debout, à peu près droite, mais quelque chose en elle s'était relâché. Gabriel tendit le cou pour mieux voir son visage.

De grosses larmes roulaient sur les joues de la jeune fille. Gabriel assista, stupéfait, à cet étrange spectacle. Emmanuelle Bisson faisait pitié à voir. Elle lui apparut soudain terriblement fragile et immensément vulnérable. Les larmes continuaient d'inonder son visage et elle ne faisait rien pour les essuyer, entièrement abandonnée à sa peine.

Une suite de craquements alertèrent la jeune fille. Gabriel avait perdu l'équilibre et écrasé des branches. Emmanuelle fit un pas et le découvrit. Gabriel se releva, confus. Il y avait tant de détresse sur le visage de la jeune fille qu'il resta muet.

D'un geste prompt, elle s'essuya le visage en reniflant bruyamment.

— Gabriel Veilleux! siffla-t-elle d'un ton méprisant. Quelle chance, vraiment. Alors, t'es content? T'as vu brailler la princesse chiante. C'est bien comme ça que tu m'appelles, non? Allez! Dépêche-toi. Tu vas pouvoir aller raconter ça à tout le monde...

Gabriel reçut le discours d'Emmanuelle comme une gifle. Était-ce bien lui qui venait de soulever tant de rage mauvaise? Un profond sentiment d'injustice le fouetta. Il s'en voulut aussitôt de s'être laissé émouvoir par cette fille qui s'acharnait à lui renvoyer une image si débilitante de lui-même.

— Je suis peut-être de la merde à tes yeux, Emmanuelle Bisson, mais je ne me suis jamais réjoui du malheur des autres, riposta-t-il, cinglant. Je suis venu ici pour avoir la paix. Parce que j'en avais sacrément besoin. C'est pas de ma faute si t'as choisi le même endroit. Je ne pouvais pas deviner, vois-tu?

Et à ce que je sache, la place n'était pas ré-servée. Mais ne t'inquiète pas, je m'en vais. Je n'ai jamais pensé que le monde m'appar-tenait, moi.

Il avait parlé en fixant l'horizon. Il dé-plaça son regard vers elle avant d'ajouter :

— Même que si ça peut te faire plaisir, puisque tu me détestes autant, dis-toi que je suis même pas sûr d'avoir une place tout court, où que ce soit.

Emmanuelle Bisson n'eut pas le loisir de répliquer. Gabriel avait déjà attrapé son vélo et déguerpi.

WWW.MAGLECTURE.COM
Pour tout savoir sur tes auteurs
et tes livres préférés

 GARANT DES FORÊTS INTACTES | L'impression de cet ouvrage sur papier recyclé a permis de sauvegarder l'équivalent de 11 arbres de 15 à 20 cm de diamètre et de 12 m de hauteur.

Achevé d'imprimer au Canada
en février 2009
sur les presses de Imprimerie Lebonfon Inc.